学术顾问◎陈勤建

主　编◎吴国林

非遗漫谈

——非物质文化遗产基础知识读本——

编委◎尹笑非　丁惠中　毛玲莉　郭　竞　孙　伟
衣晓龙　叶　静　沈梅丽　钱张帆　钱　斌
杨璟琰　黄亚欣　曹琪能　黄永东　吕兴家
王　谊　计华洁　嵇　晗　王润茁　张诗雨

华东师范大学中国非物质文化遗产保护研究中心
上海市三林中学创建『非遗·文创』特色高中项目组
——联合编写

上海社会科学院出版社
SHANGHAI ACADEMY OF SOCIAL SCIENCES PRESS

图书在版编目（CIP）数据

非遗漫谈 / 吴国林主编 .— 上海 ：上海社会科学院出版社，2021
ISBN 978-7-5520-3554-4

Ⅰ.①非… Ⅱ.①吴… Ⅲ.①非物质文化遗产—介绍—世界 Ⅳ.① G112

中国版本图书馆 CIP 数据核字（2021）第 075721 号

非遗漫谈

主　　编：吴国林
责任编辑：路　晓
封面设计：戚亮轩
出版发行：上海社会科学院出版社
上海顺昌路 622 号　　邮编 200025
电话总机 021-63315947　　销售热线 021-53063735
http：//www.sassp.cn　　E-mail：sassp@sassp.cn
排　　版：上海碧悦制版有限公司
印　　刷：上海天地海设计印刷有限公司
开　　本：787 毫米 ×1092 毫米　1/16
印　　张：14.25
字　　数：216 千字
版　　次：2021 年 5 月第 1 版　　2021 年 5 月第 1 次印刷

ISBN 978-7-5520-3554-4 / G · 1085　　定价：69.80 元

序

在创建上海市特色普通高中的进程中，母校上海市三林中学高瞻远瞩，因地制宜，与时俱进，特邀华东师范大学非物质文化遗产保护研究中心，一起组织编写了具有国际视野、中国特点和地方性知识的《非物质文化遗产基础知识读本》，为三林中学基础教育的特色建设展开了新的一页。

创办于 1896 年(清光绪二十二年)，横跨三个世纪的母校三林中学，历史悠久，在上海市中学界素来享有教学质量上乘的口碑，并拥有特色教育的传统。如 20 世纪 60 年代，三林中学便已形成普通高中高质量基础教育，又在文体课教育中大力开展游泳、围棋及多种数理化兴趣小组与课外活动，促进了学生德、智、体、艺的综合发展，成果斐然，引起了社会的广泛关注与好评，上海《文汇报》《解放日报》等媒体多有报道。今天，母校从非物质文化遗产知识着眼，继往开来，必将谱写新的篇章。

与一般课堂教授的知识文化不同，非物质文化遗产，是与人类生活实践紧密相关，与人言行相随的独特文化形态，其间蕴含着遗产地族群或个人独特的神韵、气度、知识与智慧。即使是非遗中的手工技艺，也不单纯是个技术，而是闪耀着独特文化光辉的智慧结晶。对非物质文化遗产的关注，体现了现代人对曾支撑民族精神家园的精神文明形态及价值的重新审视、认知、依恋和追寻。民族精神，作为各民族对群体文明的共同选择和人类特定的文化现象，是促进人类社会进步的重要力量。它始终支撑着人类各民族的生存、发展和进步，是世界文化多样性的体现，显示着一个国家和民族精神文化的特有标记。

我国的非物质文化遗产，展示了中华民族特有的生存方式、生活智慧、思维方式、想象力和文化意识，蕴涵着中华民族或族群文化生命的密码，承载着中华民族上万年的活态文明史。它是我国人民生命创造力的高度展现，也是维护我国文化身份和文化主权的基本依据。科学地实施非物质文化遗产保护，不仅是国家和民族发展的需要，也是国际社会文明对话和人类社会可持续发展的必然要求。如“世界第五大发明”——二十四节气，展示了我国民众在与自然相处中所形成的独特地方性时间观念——年中行事，一种表现为“农事的农时”的时间知识体系，并由天道转化为人道，在民族精神世界中，衍生出独有的骨气、气节的志气操守；而除夕“沿门逐疫”、端午习尚等节日活动，则展演了先民不畏艰险、化解时疫的神韵与智慧。农历五月，我国春夏之交，多阴霾不正之气，百虫孳生，传染病易发。古人顺应自然，利用自然，萌生了许多防病强身的民俗行为。《夏小正》曰：“次日蓄药，以除毒气。”现代科学研究显示，艾叶、菖蒲具有抗虫害、病菌、病毒的药理作用。“端午节”防疫祛病、避瘟驱毒的文化内核，构建了我国全民祈求健康的卫生节的雏形，并衍生出不畏社会险阻的新意，以及纪念爱国诗人屈原等内容。当今疫情，“连花清瘟颗粒”治愈一般新冠病毒患者的实践，再次显示了非遗传统医药抗瘟疫、“治未病”的神奇伟力。

我国的非物质文化遗产，揭示了中国本土固有的独特的地方性知识体系。地方性知识，是一地域特有的知识，不是各地普遍都有的知识；不是放之四海皆准的，却是符合当地生存环境，为当地适用的知识。理论上，地方性知识这一理念是美国著名的思想家、文化学者格尔茨创立的。实际上，中国古代早就有了相应的概述：“十里不同风，百里不同俗。”也是对这一理念更早的表述。又如《史记·货殖列传》中记曰：“齐带山海，膏壤千里，宜桑麻，人民多文彩布帛鱼盐。临菑亦海岱之间一都会也。其俗宽缓阔达，而足智，好议论。”《汉书·地理志》中也早就有相关的叙述。地方性知识的产生，离不开一地特有的生态环境和民众生存方式的制约与影响，如母校的诞生地——千年古镇三林塘地域萌生的丰富多彩的非物质文化遗产。这种地方性的知识，具有鲜明的原创性，因为其在当地发生，并往往只有在当地才有，所以也就有了唯一性。而原创性和唯一性的标识，使它理所当然地成为一个地区、一个民族或国家标志性、传承性的知识与文化，同时，也有了国际性。这是与文化相对主义、多元文化主义相一致的知识。

多元文化的提出和发展是当代全球化、现代化进程中，人类社会文化发展的一个重要趋向。文化的多元化，意味着各民族文化在发展过程中依旧保持自己的民族特色和精神特质，并在全球化中汲取营养，实现自身的创新与发展。全球化不等于一体化、同质化，且全球化中的不同文化所具有的民族特色、经济基础等因素千差万别，因此，全球化条件下的文化多元化发展将长期保持下去。

当今世界，现代化没有统一的模式，同样，处在全球化中的现代性也没有统一的价值观念体系。在现代化以及现代性问题上之所以出现多元的现象，从文化层次上是和各国民族文化联系在一起的。纵观世界，一个国家现代化和现代性的发展，虽然常常随西方的潮流而动，但是，一国文化的传统，却是潜在的河床，规范着它的走向。中国当今的文化经济建设也不例外，从来都是依附在民族固有的文化与经济的基础上实现的。因此，不同的现代化和现代性，从来总是有相对应的本民族的思想文化基础。它们通过各自的民族文化基础，吸取能够凝聚和团结本国成员的力量，从而激发出社会成员建设现代化的积极性。这也就是我们今天在中学基础教育事业中，重视学习、保护、继承、推广非物质文化遗产的价值与意义所在。因为非物质文化遗产这一与人成长相随的重要的另类知识体系，它的熏陶与教化，是培养青少年人生素养的基点，是国人基本素质、基础教育的根脉知识。几千年非物质文化遗产积淀的精髓，不仅奠定了国人的文化身份和文化人格的底蕴，更是我国自信自立于世界民族之林的巨大支撑力。

近几年，我国研究教育事业的重镇——华东师范大学，为了提升我国中小学教学水平而提倡的“新基础教育”，就非常强调中华传统文化的浸润。当下，乘着非遗进校园、文教结合的东风，上海与全国不少地方的基础教育中都加入了与非物质文化遗产相关的内容。但这些课程大都仍处在实验性的探索阶段，且往往局限于地方某一非遗项目，面窄，起点不高。而母校的这一读本，高屋建瓴，从国际、国内到地方，对非物质文化遗产进行了颇为全面又深入浅出的解读，适合青少年学习体验，甚为罕见。我参加过多次上海市文教结合办非遗进校园各类项目的评审，所见所闻，此书恐怕为第一本。衷心祝愿母校三林中学，在上海市特色普通高中建设中更上一层楼。

国家非物质文化遗产评审专家

华东师范大学终身教授　陈勤建

2020 年 9 月 4 日星期五

目 录

序 ………………………………………… 001
导 论　什么是非物质文化遗产？ ………………………… 001
第一节　非物质文化遗产概念溯源 ………………………… 003
第二节　非物质文化遗产的基础学科 ……………………… 009
第三节　非物质文化遗产的特征与价值 …………………… 015

第一章　人类非物质文化遗产巡礼 …………………………… 021
第一节　比文字更古老的口头传统 ………………………… 023
第二节　饱含文化密码的语言 ……………………………… 028
第三节　承载族群记忆的表演 ……………………………… 033
第四节　展现民众心灵的乐舞 ……………………………… 038
第五节　光耀古今的生存智慧 ……………………………… 043
第六节　人与自然的良性互动 ……………………………… 049
第七节　因材施艺的多元实践 ……………………………… 055
第八节　用双手回应美的感召 ……………………………… 061
第九节　包罗万象的传统节日 ……………………………… 066
第十节　令人心向往之的仪式 ……………………………… 072

第二章　中国非物质文化遗产概说 …………………………… 077
第一节　中国非物质文化遗产保护 ABC …………………… 079
第二节　解读中国“民间文学”类非遗 ……………………… 085
第三节　解读中国“传统音乐”类非遗 ……………………… 091
第四节　解读中国“传统舞蹈”类非遗 ……………………… 096
第五节　解读中国“传统戏剧”类非遗 ……………………… 101
第六节　解读中国“曲艺”类非遗 …………………………… 106
第七节　解读中国“传统体育、游艺与杂技”类非遗 ……… 111

第八节　解读中国“传统美术”类非遗 116
第九节　解读中国“传统技艺”类非遗 124
第十节　解读中国“传统医药”类非遗 129
第十一节　解读中国“民俗”类非遗 135
第十二节　上海非遗保护 ABC 140

第三章　三林非物质文化遗产解析 147

第一节　浅探三林地方文脉 149
第二节　浦东绕龙灯 155
第三节　“三月半”圣堂庙会与三林老街民俗仪式 160
第四节　海派盆景技艺 167
第五节　三林瓷刻 172
第六节　三林塘肉皮与三林本帮菜制作技艺 177
第七节　三林刺绣技艺 184
第八节　三林崩瓜栽培技艺 190
第九节　江南传统民居木作技艺 196
第十节　三林标布纺织技艺 202
第十一节　三林酱菜制作技艺 207

附　录 213

中国入选联合国教科文组织《人类非物质文化遗产代表作名录》《急需保护的非物质文化遗产名录》及《最佳实践项目名册》项目名单（截至 2020 年） 215
非物质文化遗产课外拓展推荐场馆（上海） 218

导　论

什么是非物质文化遗产？

第一节 非物质文化遗产概念溯源

小热身

你知道哪些文化遗产？

从“文化遗产”说起

文化遗产是指人类社会所承袭下来的前人所创造的一切优秀文化，可分为有形文化遗产和无形文化遗产两大类。

有形文化遗产是指可以看得见、摸得着，具有具体形态的文化遗产；有形文化遗产又可分为小型可移动文化遗产和大型不可移动文化遗产。小到泥塑、雕刻、剪纸等民间手工艺品，大到民居、寺庙、古镇、村落、园林、历史文化名城等，都属于有形文化遗产的范畴。

无形文化遗产（intangible cultural heritage）又称为“非物质文化遗产”，是指各族人民世代相承的、与群众生活密切相关的各种传统文化表现形式（如民俗活动、表演艺术、传统知识和技能，以及与之相关的器具、实物、手工制品等）和文化空间。

早在19世纪初，一些国家已经开始制定文化遗产保护法，对文化遗产实施保护。1820年，当时的意大利以教皇国红衣主教团的身份颁布了意大利历史上第一部文化遗产保护法。在此后的近百年间，意大利先后颁布了诸多针对文化遗产保护的法令。1999年，意大利政府又在上述法令的基础上颁布了意大利历史上第一部文化遗产保护综合法——“联合法”。法国文化遗产保护法的建立起步稍晚，但数量堪称最多。据不完全统计，在法国历史上，有关文化遗产方面的保护法就多达100多部。此外，美国颁布的《国家公园系统组织法》（1916年）、《历史遗址与古迹法》（1935年）等在文化和自然遗产保护过程中也都产生过重要影响。在东方社会，日本是最早给文化遗产立法的国家之一，其第一部文化遗产保护法《古社寺保护法》颁布于1897年。在日本文化遗产保护史上最值得一提的是 1950 年颁布的《文化财保护法》，它首次提出了“无形文化财”的保护问题。“无形文化财”这一理念提出后，首先得到了邻国韩国的认同，韩国在 1962 年颁布的《文化财保护法》中全盘继承了这一理念。

在世界文化遗产保护运动中，由于各国文化遗产种类不同，关注和保护的重点也有所区别。意大利、法国、英国、德国等西方国家主要侧重于历史建筑、历史街区、历史文化名城以及大型遗址及工艺品、美术作品的保护；而东方各国的突出贡献在于关注有形文化遗产的同时，首次提出了无形文化遗产的保护问题，从而使许多口头传统、表演艺术、民俗、手工艺技能、知识类等活态文化遗产得到了有效保护。无形文化遗产概念的提出，有力拓展了人类文化遗产保护的空间，对保护人类非物质文化遗产做出了重要贡献。

非物质文化遗产概念的形成

1950 年，日本在其新颁布的《文化财保护法》中首先提出“无形文化财”一词，此后，国际社会对无形文化遗产开始逐步关注起来。不过，在后来的很长一段时间内，国际组织使用的术语依然是“Folklore”。

在国际上，联合国教科文组织（UNESCO）是联合国系统内唯一主管文化事务的政府间组织，长期致力于物质遗产（有形遗产）和非物质遗产（无形文化遗产）的保护。1972 年，联合国教科文组织通过了《保护世界文化和自然遗产公约》，当时就有一些成员国对保护无形文化遗产的重要性表示了关注。

1973 年，玻利维亚政府建议为《世界版权公约》增加一项关于保护民俗的《议定书》，因为当地的民间艺术正遭遇严重的权益侵害。玻利维亚的民间舞蹈等艺术形式及相关的服装，一再被利益组织秘密贩卖输出，并堂而皇之地贴上他国文化的标签。传统文化流失，经济利益受损，对于明明属于自己的文化遗产还无法宣告所有权，促使玻利维亚政府提出了这项议案。他们希望 UNESCO 能够不只关注有形遗产，还能关注民间的音乐、舞蹈等无形的民间艺术的保护。

随着保护自然遗产和文化遗产工作的深入，保护非物质文化遗产的工作被提到了联合国议事日程。1982 年，世界文化政策会议（墨西哥城）将“非物质因素”纳入到了有关文化和文化遗产的新定义中。同年，教科文组织成立保护民俗专家委员会，并在其机构中建立了“非物质遗产处”。

1989 年，教科文组织第 25 届全体大会通过了《保护民间创作建议案》（以下简称《建议案》）。1996 年，世界文化发展委员会的报告《我们具有创造的多样性》指出，1972 年通过的《世界遗产公约》无法适用于手工艺、舞蹈、口头传统等类型的表达文化遗产，报告呼吁对此进行深入研究，正式承认这些遍布全球的非物质遗产和财富。

1997 年 6 月，教科文组织与摩洛哥国家委员会在马拉喀什组织“保护大众文化空间”的国际咨询会，“人类口头和非物质遗产”作为一个遗产概念正式进入 UNESCO 的文献，并被相关举措所采纳。1997—1998 年，教科文组织启动了“宣布人类口头和非物质文化遗产代表作”项目，将具有重要价值的、濒危的人类口头和非物质遗产列入代表作名录，并制订了完备的拯救计划。1998 年 11 月，UNESCO 审议通过了《宣布人类口头和非物质遗产代表作条例》。

2001 年、2003 年和 2005 年，联合国教科文组织先后公布了三批《人类口头和非物质遗产代表作名录》，共计 90 个非物质文化遗产文化表现形式或文化空间入选，其中，包括我国的昆曲、古琴艺术、新疆维吾尔木卡姆艺术和蒙古族长调民歌（与蒙古国联合申报）。

2003 年 10 月，联合国教科文组织第 32 届大会通过了《保护非物质文化遗产公约》（以下简称《公约》），《公约》使用了规范的非物质文化遗产的概念，界定了“非物质文化遗产”一词的定义和范围。《公约》指出：“‘非物质文化遗产’，指被各社区、群体，有时是个人，视为其文化遗产组成部分的各种社会实践、观念表述、表现形式、知识、技能以及相关的工具、实物、手工艺品和文化场所。这种非物质文化遗产世代相传，在各社区和群体适应周围环境以及与自然和历史的互动中，被不断地再创造，为这些社区和群体提供认同感和持续感，从而增强对文化多样性和人类创造力的尊重。在本公约中，只考虑符合现有的国际人权文件，各社区、群体和个人之间相互尊重的需要和顺应可持续发展的非物质文化遗产。”按照上述定义，《公约》将“非物质文化遗产”涵盖的范围归纳为：

1. 口头传统和表现形式，包括作为非物质文化遗产媒介的语言（Oral

traditions and expressions, including language as a vehicle of the intangible cultural heritage）；

2. 表演艺术（Performing arts）；

3. 社会实践、仪式和节庆活动（Social practices, rituals and festive events）；

4. 有关自然界和宇宙的知识与实践（ Knowledge and practices concerning nature and the universe）；

5. 传统手工艺（Traditional craftsmanship）。

2007 年 5 月 23—27 日，联合国教科文组织保护非物质文化遗产政府间委员会第一次特别会议在中国成都市召开，会议根据《公约》的条款，审议并通过了将 90 个“人类口头和非物质遗产代表作”纳入《人类非物质文化遗产代表作名录》的决议。

截至 2019 年 12 月，入选联合国教科文组织“非物质文化遗产名录（名册）”的项目共计 549 个，涉及 127 个国家。其中，《人类非物质文化遗产代表作名录》463 项，涉及 124 个国家；《急需保护的非物质文化遗产名录》64 项，涉及 34 个国家；《优秀实践名册》22 项，涉及 18 个国家。我国列入联合国教科文组织非物质文化遗产名录（名册）的项目共计 40 项，其中，入选《人类非物质文化遗产代表作名录》的 32 项，入选《急需保护的非物质文化遗产名录》7 项，入选《优秀实践名册》的 1 项。

联合国教科文组织和人类非物质文化遗产标志

通过简要的回顾，可以看到，我们今天所知晓的非物质文化遗产，实际上经历了从“无形文化财”“非物质遗产”“民俗”“民间创作”“口头和非物质遗产”等到“非物质文化遗产”的名称嬗变。在此期间，联合国教科文组织为“非物质文化遗产”概念的提出、范围的界定以及制定“非物质文化遗产”保护政策做出了杰出贡献。

非物质文化遗产传承人

传承人是非物质文化遗产的重要传递者，他们代表某种深厚的民间文化传统，掌握着某项非物质文化遗产的知识、技艺，并且具有较高的水准，有公认的代表性和影响力；他们通过口传心授的方式把自己的知识、技能等传给后人，使这种非物质文化遗产得以延续下去。

例如，藏族史诗《格萨（斯）尔》流传于中国青藏高原的藏族、蒙古族、土家族、裕固族、纳西族和普米族，以口耳相传的方式讲述了格萨尔王降临下界之后降妖除魔、抑强扶弱、统一各部，最后回归天国的英雄故事。《格萨（斯）尔》艺人是史诗最直接的创造者、传承者和传播者，他们中绝大多数人是文盲，却有着超强的记忆力和叙事创造力，演唱史诗往往长达几万行甚至几十万行，正是凭借着一代代艺人的传唱，这部史诗才能够流传千年，成为藏族等族群普通民众共享的精神财富。

在日本，对于无形文化财（即非物质文化遗产）传承人，从政府到民间均给予了高度关注。日本《文化财保护法》中，政府将艺术家、工艺美术家、匠人等的认定提到了一个相当高的地位，以激励他们在工艺方面的创新和技艺方面的提高。在国家指定的重要无形文化财中，明确将那些具有高超技能，能够传承某项文化财的人命名为“人间国宝”。同时，政府每年还要给这些艺术家以一定的资助。政府的这些措施为培养能乐、木偶净琉璃戏、宫廷音乐等方面的后继者提供了重要帮助，对无形文化财的保护起到了良好的促进功能。

非物质文化遗产是以其传承人的实践活动为主要载体的“活”的文化形态，任何非物质文化遗产的传承都要靠传承人来实现。传承人不仅肩负着延续传统文脉的使命，彰显着遗产实践能力的最高水平，还不断地将自身的个性和创造力融入传承实践活动中，对非物质文化遗产的持久延传发挥着不可替代的作用。

文化遗产是一个民族悠久历史的深厚积淀，是一个国家灿烂文化的智慧结晶，它既浓缩着过去又影响着未来，对任何一个民族、一个国家来说，都是一笔宝贵的精神财富。然而，随着现代化进程的不断加快，人类许多文化遗产均遭受到前所未有的冲击。如何有效地继承和保护这些珍贵的文化遗产，已成为人类社会必须共同面对的课题。

超级链接

2005 年 12 月，国务院在《关于加强文化遗产保护的通知》（国发〔2005〕42 号）中确定：从 2006 年开始，每年 6 月的第二个星期六为中国文化遗产日。

2016 年 9 月，国务院《关于同意设立“文化和自然遗产日”的批复》（国函〔2016〕162 号）中又确定，自 2017 年起，将每年 6 月第二个星期六的“文化遗产日”，调整设立为“文化和自然遗产日”。

通过举办“文化和自然遗产日”活动，一是切实唤起全社会文化遗产保护的意识，建立并完善国家保护为主、全社会共同参与的新机制；二是推动各级政府切实改善和加强文化遗产保护和传承工作。

说一说

1. “非物质文化遗产”与“文化遗产”之间有着什么样的关系？

2. 经过世代更迭，某种传统的民间说唱，现已没有人会唱，这样的说唱艺术能否申报非物质文化遗产？

小试牛刀

查阅资料，在世界范围内分别选择一项你感兴趣的有形文化遗产和无形文化遗产，手绘一份小报，向同学们介绍一下。

第二节　非物质文化遗产的基础学科

小热身

你知道有一门学科叫“民俗学”吗？你觉得这门学科是研究什么的呢？

非物质文化遗产的基础学科是民俗学，在非物质文化遗产的概念出现之前，民俗学早已蓬勃发展了100多年。在上一讲中，我们也看到，联合国对非物质文化遗产概念的提出，也正是源自世界各国对民间文化长期以来的关注。民俗学的学科积淀，为非物质文化遗产的研究与保护打下了扎实的学术基础。

通常认为，是英国考古学者汤姆斯(W. J. Thoms)在1846年首先提出“民俗学”(Folklore)这一学科术语，他把民俗定义为“民众的知识”或“民间的智慧”。在中国，“民俗”的汉字表述在2 000多年前的秦汉时期就已出现，但是作为学科的民俗学，则是20世纪初从国外引进的，汉译名称有“民间文学”“风俗学”“民情学”“民学”“民间智慧”“民俗学”等不同的表述。

什么是民俗?

民俗学作为一门学科，究竟研究什么学问？美国民俗学家阿伦·邓迪斯(Alan Dundes)在《世界民俗学》中指出，其“主要是有关民众知识的学问”，也就是有关民俗的学问。在现实的生活层面，民俗包括生活的方式和各类技艺，知识智慧及考虑问题的思路方法，体现在我们生活方方面面的言行规矩，以及很多看不见、摸不着，却要处处遵守的不经意的规范。具体地说，所谓民俗，就是一定地域民众传承性生活文化的总体展演，主要包括一地民众固有的语言表达、生存样式、生产技艺、生活智慧、思考原型。民俗在日常生活中，具体表现在与族群朝夕相伴的方言、饮食、穿着、居住、养育、婚嫁、丧葬、业缘、节庆、娱乐、信仰、心意、思考、交际等领域。

民俗就是生活的样子，它是古老的，但也是鲜活的、流动的，是一种活世态的生活相。在生活层面表现为生活的技艺和生活的习惯。

比如中国人造房子、买房子，现在仍保留要朝南的观念，为什么？因为有阳光。可是，这看似简单的选择，却是我们的祖先花了相当漫长的时间才实践出的。4 000 年前的“东夷”地区，房屋的朝向是东面，朝着太阳，主要是由于太阳崇拜。那么后来为什么改成朝南了呢？这就是生活技艺积累的结果。人们从生活中悟出一个道理，在我们居住的北半球，朝东居住是不合适的。这种改变是在生活中慢慢积累而产生的，并渐渐形成一套理论——风水理论。

早在 19 世纪末 20 世纪初，国外就出版了很多介绍中国风水理论的书籍，并称之为“中国的潜科学”。的确，风水中有封建迷信的成分，特别是发展到后期的风水理论。但风水理论的内涵，确有很多值得我们思考和借鉴的东西。所谓风水，简言之就是风的走向、水的流向，其核心是人们选择居所的方法。地球上并非任何地方都适合人类居住，那么何处才适宜呢？中国先民创造了解决这一问题的理论。人们常说的“左青龙，右白虎”，便隐含着这一理论——山势的走向关系到风和水的走向。

在中国传统的居住理念中，东、西、北三面环山，南面又有环绕而向外的流水，这个被包孕的位置，即为“穴”，是最佳的居住地——风水宝地。这种理念适用于我们生活的北半球。这一地区，季节风对生活环境的影响很大。东面季风带来大量雨水，因此，通常我们会感觉东墙易渗水，于是东面要有屏障挡住雨水，西面、北面也要有屏障，挡住西北风。中间这个地方就是最保暖的。然而这还不够，还需要有水。人活着不能没有水，所以最好有山上流下来的溪水，这水是活的，向外流，既保障生活用水，又能把生活污物带走，因而健康。由此可知，风水理论的基本内涵，就是依据风和水的走向、利用山体与河道来确定适合人居住的环境。北京的四合院和江南民居中的厢房，其实就是将风水理论以人工建筑的方式实现了。

从文化层面看，民俗又是一种文化模式。所谓模式，即样式，它概括了某种日常生活的规范或范式。

美国人类学者露丝·本尼迪克特（Ruth Benedict）写过一本著名的《菊与刀》（或译《菊与剑》）。此书在日本影响很大，因为其是“二战”时期盟军针对最后一个对手——日本所做的文化研究。我们大概觉得打仗是军人的事，和文化人有什么关系？但是在美国，这类学者却是政府和军事部门在展开军事行动前的高级咨询顾问。“二战”期间，德国投降以后，在关于如何对付日本的问题上遇到了难题。原本想再搞一次“诺曼底登陆”，可是没有实施，就是因为有了这本《菊与刀》——关于日本国民性的第一本文化模式理念方面的专著。通过研究，盟军指挥官发现，日本是和西方不同的民族，不能以对待德国的方式来对待这个民族，无法取得相同的效果，尤其是在战争中。最后的结果是以原子弹迫使日本投降。并且，在日本战败后，美国采取了一些措施以维系日本的天皇制，在某种意义上这也是针对日本的国民性做出的决策。仅仅依靠武力是无法解决问题的。

本尼迪克特在她的另一著作《文化模式》一书中指出：“谁也不会以一种质朴原始的眼光来看世界。他看世界时，总会受到特定的习俗、风俗和思想方式的剪裁编排。即使在哲学探索中，人们也未能超越这些陈规旧习，就是他的真假是非概念也会受到其特有的传统习俗的影响。”

民俗也是一个族群独特的、特有的思想文化起点和思考原型。民俗追根溯源，就是一个民族思想文化的源头。这个原点就在我们身边，而我们往往却没有意识到。

举一例来说，中国古代有一则金鸡传说，说一个穷苦人到山里，看到一只山鸡快要死了，很可怜，就把随身带的一点口粮给它喂了一点。山鸡吃后活过来了，很感激他，给他下了一个金蛋，然后飞走了。后来他有困难时，金鸡还是会飞来给他下金蛋。不过这个穷苦人不贪婪，不到万不得已不会找金鸡。可是后来这事被一个地主知道了，地主就去把金鸡抓来下蛋。金鸡拉了一泡屎，飞走了，地主去追，追到悬崖边摔下去摔死了。故事宣扬的是善有善报，恶有恶报。

这个故事传到日本，其他的情节都差不多，只不过他们故事里的金鸡不下金蛋，而是变成了一只黄金做的鸡，谁拿到谁就发财了。最典型版本是讲一个和尚拿到了金鸡，他借宿在一户人家中，半夜里他拿出金鸡来看，被主人发现。主人夫妇俩合伙将和尚杀害，扔到河里，占有了金鸡。令人惊讶的是，故事到此就结束了。两个版本最大的不同是，在日本的故事中，主人公夫妇作为杀害了和尚的“强者”，“合理”地占有了金鸡，“恶”的概念在这里消失了。这对于我们真正理解日本这个民族是很有意义的。

可见，民俗归根到底是“人俗”。人有生物学意义上的生命，也有文化的生命。人是生物生命和文化生命的双重复合体。如果生物生命的基因是DNA，那么文化生命的基因就是哲学层面上的民俗。为了更好地了解自己的民族，必须了解自己的民俗；要了解其他民族，也一定要能够解析他们的民俗。唯有如此，才能够知己知彼，立于世界民族之林。

民俗的力量

展现在我们现实生活中的民俗，虽然光怪陆离、五彩缤纷，但其深层却蕴藏着这一民俗的承受者群体——民众，所特有的共同相通的“我们感”——一种心心相印的共同意愿，荡漾着亘古以来连绵不绝的集体意识流。并由此构成了民族、国家思想精神文化的基础——民族魂、国魂的内核。民俗与民族精神的关联，其根本的还在于民俗是民族文化生命构成的基本成分。一国一民族之所以有民俗，并不是那个族群的喜好。民俗与人俱来，与族相连，是人类文化生命永恒的伴侣。

民俗中蕴涵族群特有的思想文化的起点、思维原型与思维模式，我们从中华民族普通家庭流行的“祭祖”等“家”的民俗中，发现国人固有的小家、大家、国家，家国一体的睿智；从生老病死的人生礼仪中，看到国人的“生生不息”生命理念；从传统的菜肴制作民俗中，看到国人“不同而和”“和而不同”的人生哲理和处事方式，流溢着人与自然、人与人、人与社会和谐统一的意念。

这些不仅仅是我国几千年历史民俗积淀的精髓，也是当今世界历史发展的潮流。世界的和平与发展，不同地区之间人民的求同存异、和平共处，也正是中华民族人民世代相传的永恒期望。中华民族的民俗博大精深，是一座智慧宝库，我们应该好好发扬光大。我们更需关注的是蕴藏在这些生活民俗背后的深厚的文化内涵、神韵、知识与智慧，中华民族固有的情感思想和独特的精神力量。

世界上一些发达国家如日本、德国，在现代化进程中，都不约而同地转向深入研究、挖掘自身民俗。这不仅为国家未来发展承前启后，凝聚民族精神，更为新一轮国际竞争增加了深厚的文化软实力。在经历了工业时代、后工业时代资源开发过度，经济增长速度放缓，城市活力匮乏，人文精神缺失等困境之后，众多发达国家开始转向第三产业、文化创意产业的发展。未来城市发展的核心竞争力，将更注重价值、特色、创新与活力。而一地特有的民俗文化，将在这个以知识经济为主导的新趋势下凸显重要价值。

上海，这座国际化的大都市，之所以有今天，也是因为在历史的发展中，以当地固有的民俗根基性文化为基础，海纳百川、兼容并蓄，并保持特色，从而使其始终保持着与国际高度接轨的“创意城市”的发展活力。在未来发展中，这座城市同样面临着传统产业结构如何转型升级、经济形态如何创新发展的问题。所以，在上海新一轮城市的规划，第三产业、文化创意产业的发展中，如何发扬上海自身优秀的民俗文化基因，科技与人文并驾齐驱、推动新的创意活力，将会是我们必然的选择和发展趋势。

说一说

1. 读一读鲁迅的《破恶声论》，和语文老师交流一下你的读后感。

2. 谈谈你对文中这段话理解：

谁也不会以一种质朴原始的眼光来看世界。他看世界时，总会受到特定的习俗、风俗和思想方式的剪裁编排。即使在哲学探索中，人们也未能超越这些陈规旧习，就是他的真假是非概念也会受到其特有的传统习俗的影响。

——露丝·本尼迪克特《文化模式》

小试牛刀

和同学组成小队，从以下选项中选择一个主题，通过查阅文献、访问身边的老人、拍摄照片、录制音视频等，完成一份形式生动的本地民俗调研报告吧。

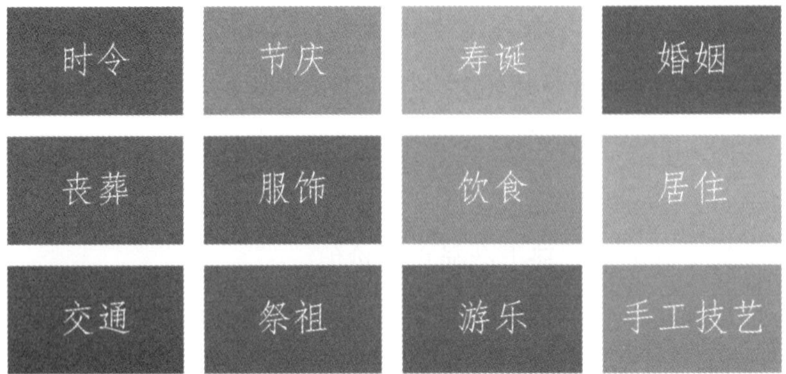

趣味拓展

杨荫深：《事物掌故丛谈》，上海辞书出版社，2014 年。

陈勤建：《中国民俗学》，华东师范大学出版社，2009 年。

第三节　非物质文化遗产的特征与价值

小热身

你知道什么是非物质文化遗产吗？举几个例子谈谈你的认识。

非物质文化遗产保护工作如今在中国进行得如火如荼，国家之所以会大规模开展这项工作，一个重要和深广的原因，就是为了在现代化进程中寻找、守护我们民族的精神家园。

非物质文化遗产是对历史精神文明结晶的一种新认知的独特形态，是人类对自身文化形态特征认识的一个新境地。人类创造的一切物质遗产，以物态的文化产物，记录着人类自我发展、自我完善的精神文明足迹。而非物质文化遗产，则是指人类世代相承的、与群众生活密切相关的各种非物态的传统文化表现形式和文化空间。根据联合国教科文组织《保护非物质文化遗产公约》的定义，具体表现为：

1. 口头传统和表现形式，包括作为非物质文化遗产媒介的语言；
2. 表演艺术；
3. 社会实践、仪式和节庆活动；
4. 有关自然界和宇宙的知识与实践；
5. 传统手工艺。

非物质文化遗产的主要特征

“非物质文化遗产”（Intangible Cultural Heritage）是一个外来的术语，转译自联合国教科文组织《保护非物质文化遗产公约》英法文本。一些专家学者将其又译为“无形文化遗产”，来自日本学者创立的“无形文化财”的表述和阐释。它的主要特征，表现在下面四个方面：

1.与物质文化遗产和自然遗产相比，非物质文化遗产更注重以人为载体的知识和技能的传承。

国际上与非物质文化遗产内涵最为对应的基础学科是民俗学。民俗学，国际术语 Folklore，英文原本的文字含意，就是民众的智慧。它是由两个萨克逊词“Folk”和“lore”合成而成。Folk，原指乡民、农民，理学界现将其扩展为“民众”；而 lore，即为知识、学问。就民俗学而言，“主要是有关民众知识的学问”（Alan Dundes，《世界民俗学》）。民俗的事项大多是民众生存方式、生产生活、知识智慧、经验的展演，以及独有的民俗思考原型。民俗学国际术语 Folklore，我国学界也曾译作“民间知识”“民间智慧”。反映了民俗学为人类非物质文化遗产的实际表述。

2.非物质文化遗产在现实社会中的展演，并非是虚无缥缈的，它往往与物态的物质文化遗产连在一起。

非物质文化遗产虽然有它自己独特的内涵和文化表现形式，如一般呈现为口头的、行为的形态。但是，在现实中，物质文化遗产和非物质文化遗产关系密切，它们往往不是孤立存在截然分开的，而是相互依存、互相作用，从而构成一个整体的文化场。其中，非物质文化促生物质文化，而物质文化中又包含了非物质文化遗产。非物质文化是人类文化产生的基础，是产生一切物质文化的基础，凝聚了创造者个人智慧的结晶，具有个体性，易于消失和发生变化。人们将自己创造的文化通过口口相传，通过书籍、艺术作品等物化方式巩固，传承下来，其传承和积累是经验性的。它们不仅仅是单纯的口头的和非物质的形态，而是口头与行为，物质与非物质，有形和无形的结合。

如国家重点文物保护单位“泸州老窖”，是我国浓香型白酒酿造的发祥地。1996 年，泸州老窖 400 年老窖池群，以其长期不间断地连续酿酒奇迹，被国务院颁布列为重点文物保护单位，成为世界罕见的活文物——跟随时间的推移，窖泥微生物犹如人类繁衍进步般地得以不断驯化和富集，产出的酒质越来越好！然而，“泸州老窖”的文化遗产价值，不仅仅是物质的，还有非物质的酿酒技艺，而且，更重要的恐怕还是后者。

3.非物质文化遗产打破了“大传统”和“小传统”的人为屏障，消解了上层文化和下层文化的界线。

有人认为，文化就是所谓代表上层文化层面的“大传统”和代表民间文化层面的“小传统”。实际上，人类的文化是有层次之分，然而不同层面的文化很难说谁大谁小，谁是精英，谁又是糟粕。如民间文化，作为传承性生活文化，包括了一个国家一个民族民众的生活技艺、口承语言艺术、文化心理模式等在内的庞大内容。人世间，每一个正常的人，须臾离不开它。它是人类文化的基石，支撑并衍生出人类的整个文化大厦。你能说它小吗？

反过来，我国第一个被列入人类非物质文化遗产代表作名录的昆曲艺术，你能说它不够精英吗？人类的文化是多元的，价值也是多样的，我们对它们的认识常在不断地深化，对此不可以轻易下结论。所以，非物质文化遗产概念的提出，矫正了传统文化学术研究中贵族化的眼光和封建等级化的偏见。同时，将人类文化的价值，采用中性的形态学概念来表述，显得格外客观和通融。

4.非物质文化遗产的形态代表着人类现行文化知识体系学科分类的重新勾画。

非物质文化遗产的基础学科是民俗学，民俗学因其学科研究对象的特点，被中国早期学者称为“文化考古学”。民俗学确立于19世纪中期到20世纪前后，随着对人类知识认识和把握的深入，民众的一些知识智慧被具体细化、归纳演绎成为一门门新的独立学科，如西方的占梦、图腾、禁忌民俗，经过弗洛伊德的梳理提炼——《梦的解析》《图腾与禁忌》，在此基础上构建了西方的心理学。但是民俗作为人类知识智慧的母体，依然存在，且体量庞大，因而尚有大量民众的知识智慧还没有得到挖掘和发扬光大。而非物质文化遗产保护的开展，就使其焕发了新的青春和活力。可是，光有此还是不够的。例如几近绝迹、精美绝伦的松江顾绣，俗称“画绣”，它们不单是民间工艺的造诣，更是民间绣娘的刺绣绝技和宋元杰出人文画的结合。又如昆曲艺术，除了包含民俗学学科的内涵外，还涉及古典文学学科的戏剧学知识等。

可见，人类这些优秀的知识智慧，以现有单一的学科分类已不足以概括它们，要深入理解，用“非物质文化遗产”的概念就更为科学完整些。这样，就打通了传统学科之间的分野，实现了多学科交叉——文文相通、文理相通、文工相通的学科整合。

为什么要保护非物质文化遗产

我们今天为什么要提出并实施非物质文化遗产保护？尽管非物质文化遗产形态千姿百态，但它归根结底集中展现了一个的民族赖以存在发展的特有的生存方式、生活智慧、思维方式、想象力和文化意识。

联合国对非物质文化遗产也曾定义为，“来自某一文化社区的全部创作，这些创作以传统为依据、由某一群体或一些个体所表达，并被认为是符合社区期望的作为其文化和社会特性的表达形式；其准则和价值通过模仿或其他方式口头相传，它的形式包括：语言、文学、音乐、舞蹈、游戏、神话、礼仪、习惯、手工艺、建筑术及其他艺术”。

日常生活层面不经意的生活技艺和生活习惯，是一种风行的生活样式，是民族或族群生存经验和智慧的结晶，在现实社会的各个领域都可以见到它的踪迹。如传统节日，它不是哪位先哲拍拍脑袋瓜想出来的，而是先民在特定的生存环境中，对宇宙生命（天体运行、万物生长）与人体生命节律交织的心灵感悟和文化展演，是地域族群文化生命周期的关节点，是民族文化生命——民族精神的重要标识，是人类在不同领域中形成的群体性代代相传的思考原型与行事方式。它对后继社会行为具有规范与感召的力量。在现实中，它以有形的物化形态和无形的心意表象，通过节日的载体，沟通代与代、一个历史阶段与另外一个历史阶段，使它们具有连续性和同一性，为人类的有序发展和现代民族凝聚力的增强奠定了基石。因而，一个社会的现代化节庆，不可能完全破除民俗的传统节日，只可能在传统基础上进行有所选择、有所创造的改造。

民族精神往往是由非物质文化遗产为载体的一种民族自我意识和自我认同，是理想信念、人生观和价值观中的独特的“我们感”，以及思维方式和行为方式中集体无意识和有意识构建的人格体现。

随着全球化和现代化的发展，人类生存环境的恶化，无数的非物质文化遗产正面临着消亡，我们的民族的精神也时刻经受着冲击。非物质文化遗产是世界文化多样性的体现，是一个国家和民族精神文化的特有标记。思维方式、想象力和文化意识，承载着一个国家、一个民族或族群文化生命的密码，是民众生命创造力的高度展现，也是维护国家文化身份和文化主权，进而独立于世界文化之林的基本依据。因此，非物质文化遗产的保护，就是守护一个国家、民族的精神家园。

说一说

1. 为什么说保护非物质文化遗产就是守护我们的精神家园?
2. 为什么要追求世界文化多样性?

趣味拓展

联合国教科文组织非物质文化遗产官网：ich.unesco.org。

中国非物质文化遗产网·中国非物质文化遗产数字博物馆：www.ihchina.cn。

第一章

人类非物质文化遗产巡礼

第一节　比文字更古老的口头传统

——解读“口头传统和表现形式，包括作为非物质文化遗产媒介的语言”之一

小热身

如果没有文字，人类如何记录自己的历史、知识与智慧？

如今，我们已经习惯了通过图像、音频、视频甚至 AR/VR 等日新月异的新媒体技术，了解形形色色的资讯，但当我们想要学习一门知识的时候，最方便的行动，仍然是认真地去阅读一本书，用笔记下每一点学习心得，考试之前还需要拿出笔记来一一重读、复习，这就是文字的力量。传说里讲，上古时代的仓颉在雪泥鸿爪的启发下，创造了汉字，于是天上下起了雨水一般的稻谷，鬼魂在黑夜里惊悚地哭泣。这景象当然出于古人的奇瑰想象，但却忠实记录了文字诞生在人类文化历史中的意义。通过文字，人们将珍贵的知识保存下来，一代代的人站在前人的肩膀上，攀上文明的高处，摆脱了生活的贫困饥馑，也摆脱了思想的蒙昧与隔绝。即使有最新的传播技术，有各式各样的聊天软件，我们还是需要文字沟通交流，表达情感，传递复杂的思想成果。

但这些并不是一蹴而就的。

关于人类语言的起源，科学家、语言学家们至今还没有定论，但是在公元前 3 000 年前人类文明最古老的文字——楔形文字——被发明之前，人们一定已经有了语言，甚至在茹毛饮血的远古，我们的祖先就已经通过相互之间的呼喊解放了双手。但即使在文字发明很长一段时间以后，因为书写技术的困难与材料的限制，文字一直是少数人群的特权。在这样的世界里，人们如何记录历史、传递知识，乃至分享智慧呢？于是，这就出现了以韵文为主要形式，以吟诵、歌唱为主要传播手段的口头文学。事实上，辉煌灿烂的古希腊时代正处在从口头文化向书写文化变迁的过渡阶段，在柏拉图的名篇《斐德罗篇》中，哲学家

用一个故事生动表达了自己对书写文化的困惑。

埃及古神塞乌斯发明了文字，对萨姆斯国王夸耀这一发明的伟大：“‘大王，这种学问可以使埃及人更加聪明，能改善他们的记忆力。我的这个发明可以作为一种治疗，使他们博闻强记。’但是那位国王回答说：‘多才多艺的塞乌斯，能发明技艺的是一个人，能权衡使用这种技艺有什么利弊的是另一个人。现在你是文字的父亲，由于溺爱儿子的缘故，你把它的功用完全弄反了！如果有人学了这种技艺，就会在他们的灵魂中播下遗忘，因为他们这样一来就会依赖写下来的东西，不再去努力记忆。他们不再用心回忆，而是借助外在的符号来回想。’”这个故事说明，在人类历史长河中，一代又一代人之间的口传心授，是记录、传承、传播人类文明果实的重要手段。而在这一过程中，不同地区、不同民族发展出了形式多样、奇瑰绚丽的口头传承文化。以我们的邻国印度为例，创作、发展于公元前 15 世纪的《吠陀》，便是最古老的人类文明遗产之一。

《吠陀》（*Veda*）的名字来自梵语，意为“知识”，是由雅利安人在迁入南亚印度次大陆的过程中，逐渐创作、不断发展，积累而成。《吠陀》一共分为四套，其中，《梨俱吠陀》（*Rig Veda*）是一套经文诗选；《沙摩吠陀》（*Sama Veda*）是将《梨俱吠陀》中的诗歌以及其他古老知识配乐而成；《耶柔吠陀》（*Yajur Veda*）收集了大量僧侣祈祷和祭祀时使用的宗教典仪；《阿闼婆吠陀》（*Atharna Veda*）则记录了印度宗教里的魔法和符咒。《吠陀》被印度人奉为本民族知识的至高无上的源泉以及神圣宗教的基础，保存了大量的古典梵语诗歌、哲学思想以及宗教、神话，堪称人类早期文明的活化石。

尽管《吠陀》一般又被称为《吠陀经》，但是在很长一段时间里，《吠陀》的流传方式主要靠口述与背诵。尽管古时候的印度学者已经开始了对《吠陀》内容的收集、整理工作，并由此产生了许多阐释、注解《吠陀》的经典文献，但是《吠陀》作为一部神圣经典，在古代是被禁止书写和记录的，且只有在印度的宗教种姓婆罗门家族中由长辈每日一句句吟诵，供晚辈熟记、背诵。完整的学习四套《吠陀》，有时需要耗费整整 40 年的时光。如此浩如烟海的文献系统，为了方便记忆与吟诵，婆罗门教的僧侣们在几千年的传承中创造了独到而有创意的吟诵方法，每个字母都有一个特别的发音，声调和语音必须精确地结合在一起，以保证每个字吐字发音的准确无误。由此，使得《吠陀》历经千年，仍旧能够保持文本的完整性。

除了《吠陀》这样的结构复杂的经书之外，在前文字时代，人类在传递文明火种的过程中，所创造的最宏大的口头文学形式，则当属史诗。诞生于爱琴海的荷马史诗《伊利亚特》和《奥德赛》，来自冰风雪域的冰岛史诗《埃达》，随日耳曼民族一起迁徙传唱的《希尔德布兰特之歌》和《谷德伦》，蕴含着湿热南风的《罗摩衍那》和《摩诃婆罗多》，以及流传在我国边疆少数民族的三大史诗——《格萨尔王》《玛纳斯》和《江格尔》。世界上的每一个民族，在没有文字帮助的情况下，都曾运用史诗这一形式把他们的历史、事件、人物，通过口传保存下来。通过史诗，人们记录下了上古先民对创造天地的瑰丽想象，对神话英雄的赞颂讴歌，乃至劝善积德的宗教、动物、哲理、道德故事等。因此，也有学者认为，史诗中“包含关于古代社会制度、礼仪、风俗、信仰、知识、艺术等各方面具有科学价值的资料”，可谓一部部内涵丰富的古代民族文化史。

尽管，如今我们所熟知的许多史诗，譬如《贝奥武夫》《罗兰之歌》《尼伯龙根之歌》，都是以文字为记录保存手段，以文学为主要艺术形式的作品，但是在口头文化时代，为了更好地记诵这些口头文学作品，许多史诗都曾伴有音乐与舞蹈。譬如仍在埃及传唱的《黑拉里亚史诗》（*The Al-sirah Al-Hilaliyyah Epic*），就是当代为数不多的，完整保存着音乐形式的史诗之一，也是阿拉伯文化的十二部史诗中唯一一部仍旧可以吟唱的文学作品。

演唱《黑拉里亚史诗》

《黑拉里亚史诗》起源于10世纪，讲述了贝都因人巴尼·黑拉勒（Bani Hilal）部落的传奇历史，这个部落曾在历史上统治了北非中部长达一个多世纪，直到被摩洛哥人消灭。但他们的历史却随着史诗的吟唱，历千年而不被遗忘。《黑拉里亚史诗》

吟唱时伴以打击乐器，或者二弦乐器“拉巴布”，在婚礼或者私人聚会上进行表演。一场《黑拉利亚史诗》的表演通常会持续50到100个小时。为了达成如此高强度的表演需求，每一个学习《黑拉利亚史诗》的诗人学徒，都需要经历至少10年的训练，从特殊的记忆训练，到声乐及乐器的专业训练。学徒们甚至还需要学习如何在现场对《黑拉利亚史诗》进行改编、评说，以适应演出现场的环境与场合。

与如今只在埃及境内传唱的《黑拉利亚史诗》相比，同时流传于我国新疆西南部的克孜勒苏柯尔克孜自治州，以及新疆北部的特克斯县、昭苏县等柯尔克孜族人聚居的地区的民族史诗《玛纳斯》，也在中亚多个国家延续着自己的传承，包括吉尔吉斯斯坦、塔吉克斯坦及阿富汗等。吉尔吉斯游牧民族（处在我国境内的同源民族被称为“柯尔克孜”）是一个具有悠久历史与文化传统的古老游牧民族，公元前3世纪以“鬲昆”之名第一次出现在汉文史料。这一记载表明，2 000多年前，吉尔吉斯先民已生活于叶尼赛河上游的山林之中。约从10世纪开始，吉尔吉斯人逐渐西迁，至15世纪完成了从叶尼赛河上游到阿尔泰山、天山的民族大迁徙。

《玛纳斯》史诗演唱大师居素普·玛玛依

在吉尔吉斯民族诸多吟唱史诗中，《玛纳斯》无疑是文学艺术世界中的一朵奇葩，这首诞生于1 000多年以前的叙事长诗，其长度是总长度1.2万余行的荷马史诗的16倍，记述了吉尔吉斯民族英雄玛纳斯及其子嗣，在民族危难间迎难而上，与各种邪恶势力斗争的事迹，展现了其顽强不屈的性格与奋发进取的精神。因其吟诵主角的不同，又分《玛纳斯》《塞米提》与《赛斯特》三部。除了长篇史诗《玛纳斯》之外，在吉尔吉斯民族被广泛传唱的还有四十多部“较短”的史诗，与《玛纳斯》一般以说书为表演形式不同，这些史诗一般以民族乐器三弦和琵琶伴奏吟唱。在吉尔吉斯语中，表演吟唱史诗的艺人又被称为“阿肯”（Akyns），因此，这项非物质文化遗产又被称为“吉尔吉斯史诗与阿肯弹唱艺术”（2003年）。

中国对《玛纳斯》史诗的保护始于20世纪60年代，经过30多年的普查与发掘，一共采集到了《玛纳斯》史诗八部，除了前三部之外，又添加了《凯涅尼木》《赛依特》《阿斯勒巴恰与别克巴恰》《索木碧莱克》《奇格台依》等五部，总长度达到23万余行，这也使得中国成为世界上传承《玛纳斯》史诗资料最丰富、最完整的国家。中国的《玛纳斯》于2009年也成功入选了联合国教科文组织的“人类非物质文化遗产代表作名录”。

值得一提的是，根据联合国教科文组织在《保护非物质文化遗产》中的定义，“各个群体和团体随着其所处环境、与自然界的相互关系和历史条件的变化不断使这种代代相传的非物质文化遗产得到创新，同时使他们自己具有一种认同感和历史感，从而促进了文化多样性和激发人类的创造力”。因此，单一的非遗项目虽有地域之别，但是对于人类来说，却是全体的财富。而每个国家地区的每一种文化，也许因为地域的亲缘性拥有相同或者相似的来源，却完全可能在流传过程中，生发不同的形式与内容，它们具有相同可贵而丰富的价值。每一段歌谣都值得被记忆，每一个故事都值得被世代保存，每一段吟诵都是人类智慧穿越历史长河的回响。

说一说

除了史诗之外，还有哪些口头传统和表述？

小田野

走访身边的老人，听他们讲讲他们记忆中的故事与歌谣，并以文字、录音的形式记录下来，形成一份“民间文学田野采集报告”。

小试牛刀

学唱一首民间歌谣，或者学习讲述一个民间故事，和同学分享。

第二节　饱含文化密码的语言

——解读“口头传统和表现形式，包括作为非物质文化遗产媒介的语言”之二

小热身

你听得懂中国的哪些方言？你觉得不同的方言表现了各个地域的哪些文化特点？

在我们的人生中，有那么几件基本的需求是日用而不自知的。譬如呼吸，譬如视力，譬如饮食，譬如说话。从出生的那一刻开始，我们就开始呼吸空气，开始感受到干渴饥饿，开始用朦胧的视线探索这个新奇的世界。科学家告诉我们，人有人言，兽有兽语，每一种动物都可以通过声音、舞姿、气味等各种手段，相互交流，相互识别。很多时候，人们甚至能够仅凭借一个眼神，一个细微的表情传情达意，这就是所谓的“此时无声胜有声”。但是，人类语言的意义与价值远远超出交流所限定的范畴，它是我们人类文化的基因库。

这话似乎很费解。因为生物的基因虽然日常生活里看不见、摸不着，但科学家们通过各种精密的实验仪器与观测手段，还是能够“看见”基因的真实模样的。1952 年，女科学家罗莎琳德·富兰克林拍下了史上第一张染色体 X 光衍射相片，她的同事沃森和克里克据此在 1953 年写了一篇 1 000 字左右的小短文，从此打开了基因世界的大门。此后人们花了整整半个世纪，终于在世纪之交，完成了人类基因组计划，揭开了潜藏在人类细胞中的生物密码，并且在各个方面改善了人们的健康、医疗以及日常生活。但是，文化的基因是什么呢？人们有没有观察，有没有办法研究，通过这样的研究有没有办法对文化产生更深刻的认识？对于这一系列的问题，一个可能的解答正是我们的语言。

关于世界上究竟有多少种语言，很难有一个正确答案，这里牵涉到如何定义语言的问题，是书写语言？还是口头语言？抑或肢体语言？就口头语言来说，

人类的语言不下五六千种，其中，有些语言流传广，譬如英语；有些语言使用人数最多，譬如汉语。但同时，也有语言，因为使用的人一代又一代的减少，逐渐消逝。这是一件非常可惜的事情。因为每一种语言，就代表了一个地区一个民族的文化史，他们是如何看待世界的，在他们的发展过程中遭遇了怎样的历史。

2009 年，人类非物质文化遗产代表作名录中收录了两种除了发音、文字外，需要动用其他行为表达意义的语言，它们分别是“瓦雅皮人的口头和图画表达形式”（The Oral and Graphic Expressions of the Wajapi），以及“加利弗纳语言、舞蹈和音乐”（The Garifuna Language，Dance and Music）。

瓦雅皮人生活在巴西东北部阿马帕州的瓦雅皮保护区，分布在 40 个小村庄里，大约 580 人，他们共同使用着一种叫图皮 · 瓜拉尼语的语言。瓦雅皮人可以说是巴西最著名的土著人部落之一，原因就在于他们非常独特的社会结构和部落文化。瓦雅皮人不知道大自然为何物，因为在他们的观念中，万物皆是一体的，人与树或动物共有一样的灵魂。因此，他们的思维方式与东西方文明的主流文化相去甚远。而在瓦雅皮人的语言中，就藏有部落神秘的文化基因。这种语言既需要他们在口头发音，还需要一种特殊的艺术形式“库西瓦”。传统的库瓦西使用从亚马逊胭脂树果实中提取出来的黄红色颜料，单单为了掌握这种颜料的调制方法，就需要耗费一个人的大半生。瓦雅皮人将“库西瓦”绘制在自己的身上，常见的图形有美洲虎、水蟒和鱼类。通过图像与口头表达相结合，栩栩如生地表现了以人类起源为主题的各种神话，它包容了一个广阔而复杂的体系，包括认识理解宇宙以及天人相互作用的特殊方式。瓦雅皮人将本民族的思想、历史，看待世界的观念，利用这门特殊的语言一代又一代地传递下去，构成了独特的瓦雅皮文化基因库。

瓦雅皮人

与瓦雅皮人类似于象形的表达方式不同，生活繁衍在中美洲洪都拉斯及尼加拉瓜等国的加利弗纳人，则是在文化的缝隙中传承着自己的言说方式。

400 多年前，当时南美洲的加勒比土著人迁徙到了加勒比海的圣文森特岛。1635 年，两艘开往西印度群岛的西班牙贩奴船在圣文森特岛附近搁浅了，船上幸存下来的非洲奴隶就在岛上定居下来，并与加勒比土著人通婚，创造了现在被称为加利弗纳人的群体。18 世纪，5 000 名加利弗纳人被英国殖民政府流放到洪都拉斯海岸外的罗坦岛。之后，加利弗纳人又迁徙到了洪都拉斯，并继续沿着加勒比海沿岸向伯利兹、危地马拉和尼加拉瓜前行，在那些国家定居下来。加利弗纳人历经了数世纪的歧视和语言统治，但是他们自己的语言却顽强地保留了下来。这种独特的语言真实地记录了加利弗纳人动荡的历史和丰富的传统知识，如木薯种植、捕鱼、独木舟建造和建造烤泥屋等。

在守夜或者群众集会中，人们载歌载舞，将加利弗纳人的历史和传统知识编入加利弗纳人歌舞中的歌词，并配上紧密的鼓点与庆典仪式。每一种舞蹈都讲述着关于族群历史的不同故事，形成一道奇艺的语言景观。数百年来，尽管颠沛流离，但加利弗纳人始终忠实地守护着自己的语言、音乐与舞蹈，将族群的历史与文化基因代代相传，正因如此，族群才得以延续。

加利弗纳人

联合国教科文组织的《保护非物质文化遗产公约》定义中，第一大类即为“口头传统和表现形式，包括作为非物质文化遗产媒介的语言”，其中，有些部分我们比较熟悉，譬如民间故事，歌谣童谣等；也包含一些发生在世界其他角落，我们并不太了解的内容，譬如篇幅宏大的经文、史诗，乃至在传播传承非物质文化遗产的重要载体，语言。根据人类学鼻祖泰勒先生的定义，文化，是包括知识、信仰、艺术、道德、法律、习俗，和任何人作为一名社会成员而获得的能力和习惯在内的复杂整体。而语言，正是记录、保存、承载、传播这文化方方面面的重要载体。

但同时，就保护工作而言，对语言的保护，恰恰是最困难的一种。故事、音乐、舞蹈，这些内容在新媒体时代，我们可以轻松地使用各种各样的新兴技术，以影像资料、音视频档案的方式，清晰地保存下来，但语言必须在人们的交流与使用中才真正地拥有活性与研究的空间。一旦人们不再使用一种语言，这种语言便彻底丧失了活力。对研究来说，难度也会成几何级数的增加。

譬如古埃及语。这种古老的语言诞生于前 32 世纪，虽几经波折，却一直绵延不绝，被使用、传递了几千年，直到 2 世纪，埃及语消亡。古老璀璨的古埃及文明，也因此而彻底断流。19 世纪，法国的拿破仑率领军队攻入埃及，立刻就被宏伟的金字塔前那些刻满神秘符号的方尖碑惊呆了，组织科学家、语言学家们对这门已经“灭绝”的语言开展破译工作，这一过程整整花了 23 年。而另一种古老的语言楔形文字，便没有这么幸运了，因为用作书写的泥板不易保存，至今未能完全破解，作为人类文明重要源头的两河文明随着这些不可解的符号，一同被湮没在了历史长河中。人类文化基因库中由此产生了一大段不可解的密码符号。

而在语言之中，更加难以保护的是支流更多更细的方言系统。之所以称之为系统，是因为语言内部存在复杂的差异性，在研究中又被细分为方言、次方言、土语等不同的层次。如汉语分为北方、吴、湘、赣、粤、客家、闽七大方言。北方方言之下又可分北方话(狭义的)、西北话、西南话、江淮话四个次方言。北方话次方言又可以分河北、山东等土语。但在日常的理解中，我们往往把一地或者一群人使用的语言变体称为方言，譬如苏州方言、无锡方言等，这些都是语言随着历史文化的变迁，逐渐分化造成的结果。而我们上海使用的方言，即为沪语。相比其他方言，上海话算得上是一门“年轻”的土语，直到晚清民国上海开埠以后，才在各地人口杂处，相互交流间逐渐形成。于是，在上海文化中有一桩独特的趣事，那便是以地名冠名的方言，与当地自然演化而成的土语，并不相同，分别被称为“上海话”和“本地话”。

民国时期的上海五方汇聚、华洋杂处，因此，在上海话形成的过程中，各色方言、各国外语都自然而然地融入了沪语。譬如我们熟悉的“阿拉”(宁波话)；“讲张”“牵记”(苏州话)；“乖乖隆地冬”(苏北话)；“板板六十四”(绍兴话)；“老虎天窗”(roof window)、司别林锁(spring，弹簧)、水门汀(cement)；就连打电话的发语词“喂”，都是来自当年上海法租界电话局里接线生所说的法语词“oui”。上海话中不仅保留了城市过去百余年的历史，这座移民城市、国际都会的多元文化基因，在语言中也得到了很好的保留。方言还是地方文化的重要载体，随着一代代上海小囡逐渐丧失了说沪语的能力，那些曾经被孩子们高声吟唱的沪谚童谣，那些曾经在茶馆戏院里被艺人唱起的独角戏、沪剧，也面临着皮之不存毛将焉附的困境。

《繁花》金宇澄著

而对于当代人而言，还有不能忽视的一点——语言还是一种宝贵的资源。方言不仅为普通话贡献了许多生动的语汇，更重要的是，作为一地独有、固有文化的基因库，方言还是精确传递当地民众生存状态的最佳工具。这是其他地区的语言，或是汉语普通话都不可替代的。2012 年，上海作家金宇澄在《收获》杂志发表的长篇小说《繁花》受到了广泛的好评，被称为“史上最好的上海小说之一”。2015 年，此书获得了国内长篇小说的最高奖项——茅盾文学奖。《繁花》“通篇以多为三至七言的短句、极具上海韵味和节奏的话本体，铺陈开一幅横跨近四十年、展现市井和世俗百态的沪上‘清明上河图’”。作者金宇澄曾对记者说：“选择方言和话本体叙事，是他为了应对国内长期以来泛滥的译文腔所做的尝试，运用方言更能生动展现人的丰富性，表现地域特色。”其实，金宇澄并不是第一个用方言写作的作家，在他之前，清末韩邦庆的《海上花列传》、民国周天籁的《亭子间嫂嫂》都是公认的佳作；张爱玲的《金锁记》中，吴方言也助力良多。

人类族群千姿百态的文化传承至今，与语言的多元生态直接相关。语言是文化的基因库，保护非物质文化遗产，必须要重视作为其媒介的语言。

说一说

为什么说语言是人类文明的基因库？举例说明。

小试牛刀

学习用方言讲述一则当地的传说故事，与同学们分享。

第三节 承载族群记忆的表演

——解读“表演艺术”之一

小热身

中国的京剧、意大利的西西里木偶剧、西班牙的弗拉明戈都是闻名世界的表演艺术，你还能再举些例子吗？

根据联合国教科文组织的定义，人类非物质文化遗产代表作中的表演艺术（Performing Art）包含了音乐、舞蹈、戏剧等多种艺术形式。范围从声乐（vocal music）和器乐（instrumental music）、舞蹈（dance）和戏剧（theater）到哑剧（pantomime）、唱段（sung verse）等。[①] 表演艺术囊括了许多反映人类创造力的文化表现形式，在一定程度上也存在于其他非物质文化遗产领域。与该表演艺术有关的工具、物品、手工艺品和空间，也都囊括在《保护非物质文化遗产公约》（以下简称《公约》）定义的作为非遗的表演艺术项目中。比如在表演艺术中使用的乐器、面具、服装和其他身体装饰，以及戏剧的布景和道具等。

关于表演艺术起源的学说，通常有六种——模仿说、游戏说、表现说、巫术说、劳动说以及艺术起源多元论[②]。在原始社会，生产劳动、宗教和艺术是互相关联的，它们共同组成了原始社会人类的实践活动。表演艺术的起源应当是一个相当漫长的历史过程。在这个漫长的历史过程中，原始人类模仿自然的本能、表现情感的需要、娱乐游戏的产生也渗透其中，尤其是对于原始人类来讲十分重要的原始巫术与原始生产劳动，更是在其中发挥了决定性的作用。

① 中国根据自身情况对国内非物质文化遗产作了更细致的划分，其中，民间音乐、民间舞蹈、戏曲、曲艺和民间杂技都应属于教科文组织所划分的表演艺术类目下。

② 模仿说，是关于艺术起源问题的最古老的理论，始于古希腊哲学家亚里士多德等，这种学说认为艺术起源于人类对自然的模仿，最显而易见的例子就是上文提及的模仿狩猎的舞蹈等；游戏说，认为艺术起源于游戏，强调表演艺术的“非功利性”是对动物性游戏的提升，根本上是一种想象力的游戏；表现说，认为艺术起源于人类表现和交流情感的需要；巫术说，认为在原始人心目中，最初的艺术有着极大的实用功利价值；劳动说，认为艺术起源于劳动。原始人将劳动动作和被狩猎的动物的动作衍化为舞蹈，劳动时的号子与呼喊发展为诗歌，而劳动时发出的各种声音和体现的节奏，则为原始人提供了音乐的灵感；艺术起源多元论，认为艺术起源是具有多元性的，是由多种因素共同决定的。

随着人类生产能力的提升，表演艺术的功利性和非功利性功能也各自逐渐演化成完整的体系，但即使是在公共场合进行的功利性表演（如巫术等），往往也包含审美和欣赏价值，更毋用提本身就是为了审美服务的非功利性表演了。第一个入选“人类非物质文化遗产代表作”的中国项目昆曲（Kun Qu Opera）总体来说属于非功利性审美表演。2001 年 5 月 18 日，联合国教科文组织在巴黎隆重宣布第一批 19 项“人类口头与非物质文化遗产”名单，其中，只有 4 个项目获得评委们全票通过，我国的昆曲即名列其中并在名单之首。

苏州昆剧院《牡丹亭》
演员在伦敦特罗克斯剧院登台演出[①]

昆曲起源于元朝末年（14 世纪中叶），起初只流行于苏州地区，它与起源于浙江的海盐腔、余姚腔和起源于江西的弋阳腔，并称为明代四大声腔。目前，普遍认为昆曲兴盛于明朝万历年间（1567–1620），是我国金元杂剧和宋元南戏以来传统舞台艺术的集大成的继承者。“昆曲所代表的美学趣味虽然明显是南方的，尤其是江南地区的，但是其文化身份却并不属于一时一地，它凝聚了中国广大地区文人的美学追求以及艺术创造。”[②] 比如《清忠谱》表现的取义成仁的牺牲精神、《长生殿》所表现的历史沧桑感和对已逝情爱的幽怨缅怀、《桃花扇》所表现的兴亡感与宗教灭寂感、《牡丹亭》对至情与生死的试炼和感叹都折射出当时中国人的集体文化心理。

昆曲以其高超的韵律模式（唱腔）而著称，对中国近代戏曲，如川剧、京剧等有相当大的影响。昆曲唱腔的美首先在于他的曲调能充分发挥汉语诗歌语言内在的声韵美，又在其如同书法一般的线条美，“一腔数转”“一字之长，延至数息”[③]。同时，昆曲创作队伍的骨干是士大夫中的中上层知识分子，仅明代以进士及第而做官的剧作家就多达 28 位。[④] 明代中叶以来，充分代表文人趣

① 来源：中国日报网 https://www.chinadaily.com.cn/world/2016-10/04/content_26970587.htm.

② 傅谨.京剧崛起与中国文化传统的近代转型——以昆曲的文化角色为背景 [J].文艺研究 ,2007(09):87- 95,175.

③ 刘明澜.论昆曲唱腔的艺术美 [J].中国音乐学 ,1993(03):27-38.

④ 李晓.昆曲的艺术成就和文化价值 [J].戏剧艺术 ,2005(01):30-42.

味的昆曲臻于高度成熟，除了音乐上和表演上达到了中国表演艺术的高峰之外，在文学上，也由于大量杰出的文人参与剧本创作而取得了极高的成就。

和昆曲艺术一样，留存着重要的历史记忆和生活审美情趣的，还有西安鼓乐（Xi'an wind and percussion ensemble，2009 年入选人类非物质文化遗产代表作名录）。西安鼓乐，也称长安古乐，是迄今为止在中国境内发现并保存最完整的大型民间乐种之一，是千百年来流传在西安（古长安）及周边地区的传统民间大型鼓吹乐。它脱胎于唐代燕乐，后融于宫廷音乐，并逐渐流入民间。风格大气、庄重、高雅，曲目丰富，结构完整、曲调优美。中国传统音乐自唐代以降的许多音乐因素（律、调、曲、词、乐谱、乐器、结构、旋法等）都在这个古老乐种中留下了遗迹残痕，因此，长安鼓乐又被称为中国古代音乐的“活化石”。

印度梵剧

其他国家入选人类非物质文化遗产代表作名录的表演艺术类项目，有格鲁吉亚复调演唱（Georgian Polyphonic Singing）、菲律宾伊夫高族群的哈德哈德圣歌（The Hudhud Chants of the Ifugao）、印度的鸠提耶耽梵剧（Kutiyattam, Sanskrit Theater）、韩国的宫廷宗庙祭祀礼乐（Royal Ancestral Rite and Ritual Music in Jogmyo Shrine）、西班牙的埃尔切神秘剧（Mystery play of Elche）、意大利的西西里木偶剧 (Opera dei Pupi, Sicilian Puppet Theater)、日本的能乐（Nôgaku Theater）等。它们同样承载了本民族的历史文化与独特的审美趣味。

以日本能乐为例。能乐与歌舞伎、文乐并称日本三大传统艺术，长期作为武家的“式乐”，肩负着厚重的历史传承性和日本文化的符号性，在明治维新以后也被用于多种外交场合。能乐在日语里意为“有情节的艺能”，包括“能”与“狂言”两项，前者是极具宗教意味的假面悲剧，后者则是十分世俗化的滑稽科白剧。

“能剧”从广义上说包括滑稽剧“狂言”，也是能乐表演的主体部分，过去“狂言”常常作为过渡或解释剧情的喜剧在两场“能剧”之间穿插演出。到14世纪，严肃庄重的“能剧”表演和幽默诙谐的“狂言”表演之间有了明显的区别，“狂言”也因此既可以融入“能剧”中表演，又可以单独表演。传统的能乐节目包括五场“能剧”，中间穿插三、四出“狂言”，但今天的能乐仅有两三场“能剧”，一二出“狂言”穿插其间。[①]

总体而言，能乐仍然是以悲剧为中心的。能乐展现人与鬼神的对话，演出时所用的特殊面具叫作能面，由桧木雕刻而成，兼有“悲哀与微笑两种截然相反的表情”，有的能面看似微笑，眼角却如泣如诉，有的能面看似悲伤，唇边却漾出一丝平和的笑意，

日本能乐

加以比较幽暗的舞台布光，能乐的表演形式神秘感十足。能乐注重抒情和写意，相比中国戏曲而言更加强调表现人的内心世界，常常在华丽绚烂的妆面和布景中蕴藏悲凉虚幻的气氛，在庄重肃穆的表演形式背后流露出空寂幽玄的情调。因此，能乐又被称为“幽玄的艺术”。[②]比如在著名的能乐剧目《熊野》中，女主人公熊野就是在落花时节伤春惜逝，唱出了“都城随惜春花去，东国无奈落花愁”的感叹。能乐集中体现了日本人“物哀”[③]和“幽玄”[④]的美学传统，这种审美趣味的形成和日本历史文化的关系十分密切：从自然风土影响上讲，由于日本国土地域狭小，资源稀缺，地震、海啸等灾难频发，导致日本文化中天生带有一种飘忽不定的不安全感和万事万物即将告别的感觉；除了这种不安全感以外，日本本土宗教“神道教”认为“万物有灵”，日月星辰、山川海洋、花草树木、飞禽走兽都是神灵，作为人都应崇敬、亲近以及感怀。这种对自然

---

① Japan Fact Sheet. “‘能剧’和‘狂言’”. Web Japan, https://web-japan.org/

② 彭吉象.中国戏曲与日本能乐美学特征比较略论[J].文艺研究,2000(04):51-54.

③ 根据叶渭渠在《日本艺术美的主要形态》中的解释，“物哀”不是简单的“悲哀美”，悲哀只是“物哀”中的一种情绪，而这种情绪所包含的同情，意味着对他人悲哀的共鸣，是指一种同情的美。

④ “幽玄”指的是一种境界较高的美，深奥、优雅。它将“物哀”中官能的美转化为一种精神的内在，意喻人所无法通过理性和知识获得的类似本质的东西，类似于禅的“空寂”。

的亲近和欣赏，加上对自然之美稍纵即逝的认识，造就了日本文化独特的世界观和审美体系，而这种民族心理的积淀和对美的认识都体现在了能乐凄凉、梦幻的艺术风格和空寂、幽玄的艺术情趣中，绵延至今。①

昆曲、西安鼓乐和能乐，如同其他作为表演艺术类的非物质文化遗产项目，好似祖先们悉心包裹的一枚枚时间胶囊，都凝聚了一个民族丰富的历史记忆和独特的民族审美，传递着久远的信息。更通过不断创新和融合，为现代人展示了这种艺术形式在当代的魅力和生机。不论是“人类非物质文化遗产代表作”还是我国的非物质文化遗产名录，表演艺术类项目数量都占了一半以上，是非物质文化遗产的重要组成部分。由于表演艺术类项目涉及的内容丰富、程式复杂，用具及发生场所布置繁复，更容易走向濒危，保护工作也更难以落实到位。对传统表演艺术的保护必须坚持以人为本，活态保护，才特合其自身的传承发展规律。②

说一说

为什么说表演艺术类的非遗凝聚了一个民族丰富的历史记忆和独特的民族审美？举例说一说。

① 更多关于能乐艺术美的内容可参考世阿弥关于能乐理论的著作《风姿花传》（又名《花传书》）。

② 李荣启 .论传统表演艺术的保护与传承 [J].中国文化研究 ,2019(01):1−14.

第四节 展现民众心灵的乐舞

——解读“表演艺术”之二

小热身

你了解我国哪些少数民族的表演艺术？你觉得这些艺术形式表现了什么？

在前一讲中，我们介绍了许多大家耳熟能详的表演艺术项目，它们都承载了本民族古老的历史记忆和独特的民族审美。这一讲中，我们将继续走进更多的表演艺术，它们以不同的形式展现出民族文化中巨大的活力，体现了不同民族、不同文化社群对于生命的讴歌与赞美。

新疆维吾尔族木卡姆艺术表演

新疆维吾尔族木卡姆艺术（The Art of Uyghur Muqan of Xinjiang）于2005年入选“人类非物质文化遗产代表作”，与蒙古族长调民歌（中国、蒙古国联合申报）一起作为我国最早入选的少数民族表演艺术。“木卡姆”本为阿拉伯语，意为规范、聚会等意。在现代维吾尔语中，“木卡姆”主要意思为“古典音乐”，它是维吾尔族传统音乐、舞蹈的重要组成部分，是集歌、舞、乐于一体的大型综合艺术形式，与民族民间音乐舞蹈、宗教礼仪音乐有着千丝万缕的联系，是广泛流传于新疆各维吾尔族聚居区的各种木卡姆总称。由于新疆在历史上是连接东西方的古代“丝绸之路”的枢纽，木卡姆艺术包含并传递着多元的文化信息。

新疆维吾尔族木卡姆艺术的歌曲体裁既有叙咏歌，又有叙事歌；演唱方式也包含合唱、齐唱、独唱多种样式；演奏乐器既有弓弦乐器，又有弹拨乐器、吹奏乐器等；歌唱内容包含哲人箴言、文人诗作、先知告诫、民间故事、地方传说；其音乐形态的突出特征是多种律制、调式、节奏和节拍并存，是反映维吾尔人民历史、社会风貌和近代生活的百科全书。

新疆木卡姆代表作品主要为“十二木卡姆”“刀郎木卡姆”“吐鲁番木卡姆”和“哈密木卡姆”等。“十二木卡姆”[①]每套的“琼乃额曼”部分具有“雅乐”的性质，着重表现了维吾尔人的哲学思想和精神追求，主要供上层人士享用；“达斯坦”部分一般由“达斯坦其”（意为“善唱达斯坦者”）在茶馆、饭馆、理发馆等公众场合，还有家庭聚会和以中老年人群为主体的聚会上演唱；第三部分“麦西热甫”主要在各种群众聚会上由“乃额曼其”（意为“民间歌乐手”）广泛传唱，并供群众随着乐声起舞自娱，或由被称作“阿希克”（意为“痴迷者”）的民间艺人在街头巷尾单独或结伴吟唱。

维吾尔木卡姆所反映的人在自然、社会、历史变迁中的各种感受，体现了维吾尔人民所具有的崇尚自然、尊重生命的精神特质和对于美好爱情、幸福生活的执着追求。在各种节庆和各类聚会上，木卡姆具有文化传统上的“唤醒”作用，在维吾尔人心目中所具有的表达情感、文化认同、维护团结等作用是其他传统文化形式所不可替代的，它是了解和研究维吾尔人民文化审美心理最重要的依据，也是维系维吾尔民族情感的纽带。[②]但近年来，由于维吾尔民间群众性娱乐活动“麦西热甫”“白孜卖”举办频率、规模日益变少、变小，不少曲目已不再被演唱，以全部演唱约需 20 多小时的“十二木卡姆”为例，已无人可以完全演唱全部内容。[③]

值得一提的是，木卡姆其实是中亚地区普遍存在的艺术形式，不止流传于我国新疆地区，更连接了许多不同国家和地区的文化。沙士木卡姆音乐（Shashmaqon Music）也是“人类非物质文化遗产代表作”之一，在中亚一个被称为玛瓦拉尔纳尔（Mawara alnahr）的地区（现

沙士木卡姆音乐

① “琼乃额曼”“达斯坦”“麦西热甫”是十二木卡姆套曲的三大组成部分。

② 迪力夏提·帕尔哈提.十二木卡姆的历史与现状（下）[J].新疆艺术（汉文）,2017(01):115-128.

③ 邹启山主编.人类非物质文化遗产代表作[M].郑州：大象出版社,2006.

在的塔吉克斯坦和乌兹别克斯坦），以多元文化的城市为中心，已流传了 10 个世纪以上。沙士木卡姆（用塔吉克的阿拉伯语可直译为“六个木卡姆”）是多种文艺品种的综合体，包括声乐、器乐、旋律和节奏性语言、文学以及美学观念等。与新疆维吾尔木卡姆艺术相似，沙士木卡姆音乐可以独唱，也可以合唱，由弦乐、弓弦乐、打击乐和管乐组成的乐队伴奏。通常以器乐为先导，随后是主要部分纳斯尔 (nasr) 声乐部分，包括两套不同的歌曲组合。

充满活力的文化往往会跨越民族和地域的限制，成为拥有不同生活背景的民众共享的精神财富。流传在中国西北部甘、青、宁三省(区)的民歌形式“花儿”（Hua’er），就是汉、回、藏、东乡、保安、撒拉、土、裕固、蒙古等民族共创共享的文化遗产。而且，不同的传唱地区，在分类形式上都有着差异，赋予了花儿丰富多彩的形态。

甘肃花儿

花儿产生于明朝初年，因歌词中把女性比喻为花朵而得名。它用汉语演唱，在音乐上受羌、藏、汉、土以及穆斯林各民族传统音乐的影响。总体而言，花儿音乐高亢、悠长、爽朗，民族风格和地方特色鲜明。花儿不仅有绚丽多彩的音乐形象，而且有丰富的文学内容，反映生活、爱情、时政、劳动等内容，用比、兴、赋的艺术手法即兴演出。在长期的发展演变中，花儿形成了各种不同的流派和风格，典型的如河州花儿（临夏花儿）和洮岷花儿两大类，在韵脚、逻辑和感情上，不同地区的侧重点有所不同。河州花儿长于用韵，善于用韵，用得稳而俏，动听而悦耳；洮岷花儿自由活泼，幽默风趣，以叙事见长，歌词简练，比喻生动，曲调纯朴单调、朴素、原始，在逻辑和韵脚上相对不是特别擅长。①

① 张燕.全球化视野下非物质文化遗产与经济发展的融合现状探究——以“甘肃花儿”为例 [J].艺术科技，2017,30(07):28.

在花儿的流布地区，到了每年的“花儿会”期间，远近的民众都会背上干粮，到附近的山中去“漫花儿”。他们以歌会友，在山坡上席地而坐，或单打独唱，或一问一答，互相对唱，形式非常自由。届时，漫山遍野的男女老少，漫山遍野的歌声，好不热闹。对青年男女而言，花儿会还是他们寻找意中人的好机会。他们以歌为媒，表露心迹，热烈而质朴。花儿体现了歌唱艺术作为少数民族生活和生命“狂欢”意志重要组成部分的一面，花儿会也因此被称为“诗与歌的狂欢节”。[①]2009 年，花儿被联合国教科文组织列入人类非物质文化遗产名录。

2016 年千人共同演绎侗族大歌[②]

同样，能够充分体现民族特性和生命力的表演艺术还有侗族大歌（Grand song of thc Dong ethnic group，2009）。侗族大歌是无伴奏、无指挥的侗族民间多声部民歌的总称。其中，包括声音歌、叙事歌、童声歌、踩堂歌、拦路歌等。它的发展与侗族人鼓楼的居住形式、好客的风俗习惯以及侗族语言有着分不开的联系，承载着侗族的生活方式、社会结构、人伦礼俗、生存智慧等重要的文化信息。侗族大歌被誉为“具有世界水平的民间音乐”，是侗族文化浓缩的精华，侗族也被称为“最善于唱歌的民族”。侗族大歌结构严密而精美，歌词押韵，曲调优美，歌词多采用比兴手法，意蕴深刻。歌声是当地人表达生活情趣的一种艺术手段，不论是其表演形式本身还是表演内容，都充满了鲜活的生命力，甚至可以说唱歌是侗族人的生活方式之一，与吃饭喝水同样重要。

表演艺术作为反映人类创造力的文化表现形式，以社区为根基，以人作为主体的表演（表演者）和面向人的表演（观众）为基础，不仅具有规训族群内部的社会整合、转化功能，更具有促进各文化之间交流和区分文化的功能和价

① 柯杨.《诗与歌的狂欢节》[M]. 兰州：甘肃人民出版社，2002.

② 来源：中国日报网 https://www.chinadaily.com.cn/china/2016-11/29/content_2751(582.htm

值。这一对看似矛盾的功能实际在不同层面发挥着作用：就艺术的起源而言，各种文化中艺术的起源都非常类似，因而不同文化之间可以达成一定的共识，进而促进文化交流。我们常说的“音乐可以超越语言”“舞蹈可以超越语言”，就是这个道理；但就表现形式而言，各种文化中的艺术又千姿百态，各不相同。因此，了解世界各地的表演艺术，就能够对这些民族、地区的历史和文化特性有所了解。

但是就目前而言，许多表演艺术形式都受到了威胁。为了满足游客的需求，许多传统表演艺术不仅脱离了民众的日常生活，变成了商品，还往往被缩减为仅剩所谓“亮点”的碎片化展示。失去了表演艺术所依附的生活化、社区化场景，一些艺术作品体现的对生命的赞美和“在地”的审美情趣就容易成为飘浮在空气中没有实际依托的空洞演绎。

联合国教科文组织曾指出，非遗保护的重点在于世代传承或传播非物质文化遗产所涉及的过程（processes），而非具体表现形态的产物（production），如一次舞蹈表演、一首歌曲、一件乐器，或一个工艺品。保护意味着确保非物质文化遗产能够依然活跃在当今几代人的生活中，并让他们可以传承给未来的几代人。保护措施以确保非物质文化遗产的存续力（viability），即其不断地再创造和传承为目标。因此，保护非物质文化遗产的重点应放在增强非物质文化遗产在社会内部的功能上。总而言之，只有让表演艺术真正在当地社区中焕发活力，才能够做好真正的“活态传承”。

说一说

表演艺术类非物质文化遗产都是为了表演而产生和存在的吗？举例说说。

小试牛刀

参照联合国教科文组织《人类非物质文化遗产代表作名录》中表演艺术类项目名单，选择一种你感兴趣的进行深入探究。利用网络资源观摩表演，查阅资料，看看这种表演艺术是如何产生的，它给人怎样的审美感受，又在向人们传递什么讯息。

第五节　光耀古今的生存智慧

——解读“有关自然界和宇宙的知识与实践”之一

小热身

还记得《大禹治水》的故事吗？你能说说他治理水患经历了怎样的过程吗？

如果把地球 46 亿年的发展史换算成 24 小时，生命的起源大约发生在上午八九点的光景，至于人类有幸见证的时间，只是午夜那最后的半分钟。在人类出现之前的漫长时光中，地球已经孕育了无数生命，庞大如恐龙，渺小如细菌。可这数十亿年的光阴，宇宙万物纵然奥妙无穷，却也只是一种静默的存在。因为恐龙和细菌们并不关心明天太阳还会不会升起，也不会抬头仰望云朵和星星。“午夜的最后半分钟”，人类出现了。这个脆弱的物种，没有坚硬的鳞甲，也耐不住酷热严寒，却有一种不切实际的勇气与自信、对世间万事万物的好奇以及企图掌控自身命运的野心。在人类的注视下，浩渺宇宙，瑰丽自然，仿佛处处都有等待被发现的答案。从“万物有灵”“天圆地方”，到怎样追踪一只野兔，如何驯化一颗野生稻种，知识就这样伴随着人类对周遭世界的认识与改造产生了。

在联合国教科文组织对于非物质文化遗产的分类中，“有关自然界和宇宙的知识与实践”大概是最能体现人类生存智慧的一类非遗了。时空观念、宇宙观，对宇宙与宗教的信仰，巫术，图腾崇拜，计数和算数的方法，历法纪年知识，关于天文与气象的知识和预言，关于海洋、火山和气候的知识与对策，农耕活动和知识，动植物知识和传统治疗方法等，都包括其中[①]。

民以食为天，食物是人类最古老的课题。对食物的追求，是人类探索自然的最初动力，伴随着人类文明史的发展，持续不断地彰显着人类的生存智慧。

---

① 王文章.非物质文化遗产概论 [M].北京：教育科学出版社，2013:66.

2010 年，“法国美食大餐”（The gastronomic meal of the French）、“传统的墨西哥美食——地道、世代相传、充满活力的社区文化，米却肯州模式”(Traditional Mexican cuisine-ancestral, on-going community culture, the Michoac à n paradigm)，以及克罗地亚、摩洛哥、葡萄牙、塞浦路斯、西班牙、希腊、意大利等国共同申报的“地中海饮食文化”（The Mediterranean diet），被一同收录到人类非物质文化遗产代表作名录中。

提起法国美食大餐，大多数人立刻就会想到鹅肝和蜗牛。但其实，法国美食的内涵非常丰富，从东部的阿尔卑斯山麓，到西部的大西洋沿岸，不同地区的民众就地取材，历经千百年探索，发展出了丰富多彩的地方菜式。在东南部的普罗旺斯地区，橄榄油、大蒜、小瓜、西红柿是常见的食材，散发着清新的地中海气息；中部偏东的勃艮第地区多丘陵，不仅有炖牛肉、烤蜗牛等著名菜式，还是闻名世界的优质葡萄酒产区；而到了吹拂着大西洋海风的诺曼底、布列塔尼亚地区，生蚝、龙虾、扇贝等海鲜就成了主打的食材；除了丰富的地区菜式，法国美食大餐还非常强调餐桌礼仪，餐桌布置、座次排列、刀叉摆放、上菜程序等等，都有一套完整的规则。人们享用美食之时，也是在一次次地温习传统。

与法国大餐迥然不同，位于墨西哥南部太平洋沿岸的米却肯州的传统菜肴，以玉米、大豆、辣椒为基础，常见西红柿、南瓜、鳄梨、可可和香草等地方食材。人们为获得足够的食物，因地制宜，形成了一些独特的耕作方法，如“米尔帕斯”（milpas，翻耕玉米田和其他农作物田）与“奇那帕斯”（chinampas，在湖区开发耕地）等。在烹饪过程中，当地人用石灰让玉米脱壳，以增加其营养价值。用餐环节，还会使用研磨石等独特的餐具。与我们中国人相似的是，当地人还

墨西哥传统美食

地中海饮食

用玉米饼和玉米粉蒸肉等传统食物祭祀逝者，使其成为传统祭祀仪式的一部分。显然，米却肯传统美食，是一个囊括了农业知识、烹饪技艺、传统习俗的综合文化模式。

而在位于欧洲、亚洲与非洲大陆之间的地中海，独特的地理环境赋予了沿岸各国丰富的物产，橄榄油、五谷杂粮、豆类、新鲜蔬果与干果、鱼类、奶制品等，是地中海美食的主要食材。地中海饮食还包括农作物种植、收获、打鱼、保鲜、加工、制作等环节的知识和实践。

值得注意的是，由于食物是社会节庆活动的重要基础，人们聚集一处享用美食，社会联系由此而得到强化，谣谚、故事、音乐、歌曲、舞蹈、知识、礼仪等也有了发生和传播的空间。因此，人们分享食物的过程，也是饮食文化中很重要的一部分。

食物承载了人类关于自然和宇宙最温暖的知识和实践，同时，也带出了另一个重要的课题——计算。狩猎、采摘的收获要如何统计？如何在群体中合理分配？十根手指就是最初的计算工具。后来有了更复杂的计算需求，中国的古人在十进制的基础上发明了算筹，也就是一根根长短相同的小细棍，通过一套特定的摆放方式进行计数和计算。算筹在中国被广泛使用了至少 2 000 年，直到明代才被另一种更高效的计算方式所取代——珠算。

珠算是以算盘为工具进行数字计算的一种方法，是中国人为人类科技史贡献的重要发明。虽然在明代才得到广泛普及，但它至少已有 1 800 年的历史，汉代徐岳撰写的《数术记遗》中就已出现了“珠算”一词。在宋代张择端所绘的《清明上河图》中，“赵太丞家”的药店柜台上就摆放着一把算盘，可见珠算在宋朝已经走向成熟。明代，社会经济高度繁荣，商业的发展对计算提出了更高的要求。珠算工具简便轻巧，数理内涵清晰，因此广受

赵太丞家的药店柜台上摆放着一把算盘

推崇，于是，珠算逐渐取代了筹算。之后，算盘的使用方法日益完善，明人程大位编撰的《直指算法统宗》为珠算的推广和发展起到了极其重要的作用。

其实，珠算并非中国人的独创，古希腊人、古罗马人都曾有过类似的想法。古希腊人发明了一种用大理石制作的计数板，上面刻画着具有特殊含义的线条。使用时，人们把一颗颗小鹅卵石摆在石板上，通过挪动它们的位置进行计算。古罗马人的思路略有不同，他们在铜板上开凿沟槽，在其中放入小铜珠，通过推拨铜珠进行计算。然而，尽管最初的创意不谋而合，却只有中国的珠算得到了科学系统的发展和非常广泛的普及。

珠算在中华大地代代相传，传承至今，不但强力助推了中国社会经济和科学技术的发展，还深深地融入我们的日常生活中。“三下五除二”（形容做事干脆利索）、“二一添作五”（指双方平分或平均承担责任和任务）这样的词汇，正是来源于珠算口诀。此外，明代以后，中国珠算还先后流传到日本、朝鲜、东南亚各国，对当地的社会发展同样影响深远，成为多民族共享的智慧成果。

在信息化的今天，尽管计算机强大的功能早已覆盖了珠算的实用空间，但这种独特的有关数的知识与实践，彰显了人类非凡的生存智慧与创造力，是不应当被遗忘的。2013 年，“中国珠算——运用算盘进行数学计算的知识与实践”被收录进人类非物质文化遗产代表作名录。

粮食和蔬菜，数字与计算，都是人类智慧熠熠闪光的领域。但苍茫天地间，人之所以为人，还在于我们总是企图跨越自己渺小的生命形态，心怀把握宇宙的宏愿。2016 年，“二十四节气——中国人通过观察太阳周年运动而形成的时间知识体系及其实践”被收入人类非物质文化遗产代表作名录。民俗学家刘魁立先生曾表示，二十四节气是中国人时间框架的一部分。虽然外国也有春分、秋分、冬至、夏至这样的划分，但是能再细分出二十四节气、七十二物候，使农业生产生活与自然结合得如此紧密的，只有中国人，而这对于人们的文化认同和国家凝聚力，具有极为重要的历史和现实意义。

我们都知道，地球绕太阳公转一周为一年，而从地球上看，就像是太阳在空中移动；一年的时间，太阳正好走过一周。这个地球视线中的太阳运行“轨道”，就被称为“黄道”，是一个 360° 圆周。由于地球的自转轴与公转面并不垂直，

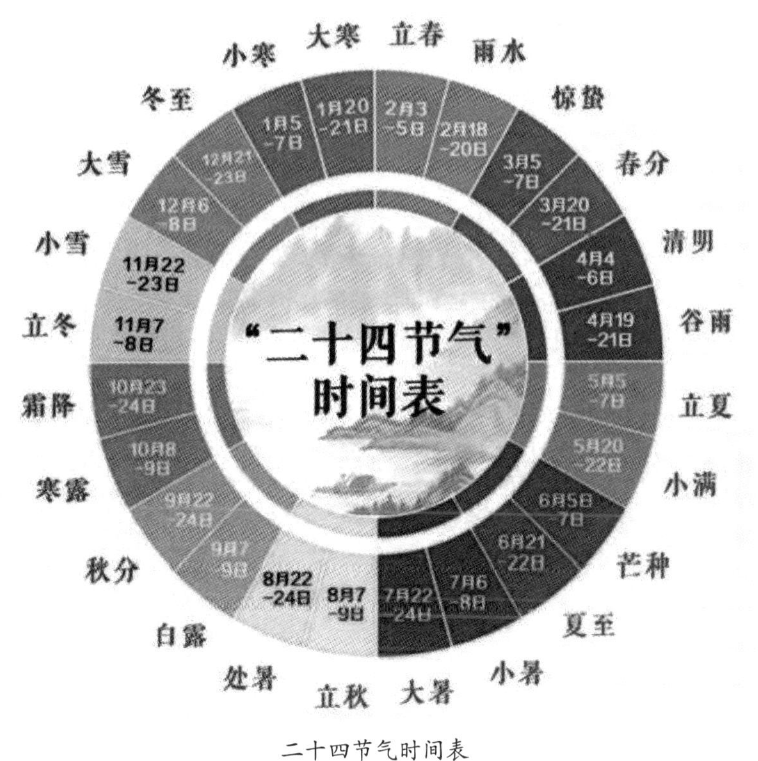

二十四节气时间表

导致黄道面和赤道面并不一致，所以一年四季太阳光直射到地球的位置是不同的。中国古人通过观察天文、物候、气象和农事现象，结合太阳在地球视线中的不同位置，将黄道划分成24等份，每15°一份，这样就产生了24个时间节点，对应到具体的某一天，一年一轮，周而复始。现行的二十四节气始于立春，终于大寒，具体包括：立春、雨水、惊蛰、春分、清明、谷雨、立夏、小满、芒种、夏至、小暑、大暑、立秋、处暑、白露、秋分、寒露、霜降、立冬、小雪、大雪、冬至、小寒、大寒。

直到今天，这套独特的历法仍然对农业生产具有很强的指导意义。更重要的是，千百年来，它还深刻影响着中国人的思维方式和行为准则。我们的祖先通过观天察地，感悟到茫茫宇宙和自然万物及生活其间的人类，是相依相存、相互关联的生命共同体。因此，在中国人的传统观念中，不只是农业生产，人的生命也应当遵循自然的节律，顺时顺势而为。二十四节气，开创性构建了人类社会中独特的与农时紧密连在一起的时间体系，承载了中华民族杰出的生活智慧。

人类文明史数千年，先民们在认识自然、改造自然的过程中，凭借着长年累月的观察、思考和实践，以及一次次灵感火花的迸发，形成了这些关于自然和宇宙的知识和实践。它们穿越时间的长河，至今依旧闪耀着人类智慧的光芒。

说一说

你还知道什么古代的科学知识？这些知识现在还有价值吗？

小田野

1. 你会根据自然现象预测天气吗？听爷爷奶奶说过相关的谣谚吗？试着搜集一些，看看是否准确，和地理老师一起分析一下其中的原理吧。

2. 你认识多少种草本植物？邀请生物老师指导，和同学组队，搜索校园的各个角落，编一份图文并茂的《三林中学草本植物图鉴》，再查阅一下中草药文献， 看看你们找到的植物都有什么用途。

第六节 人与自然的良性互动

——解读“有关自然界和宇宙的知识与实践”之二

小热身

人类在改造自然的过程中，是否也在被自然塑造呢？

人类在认识自然、改造自然的过程中所获得的知识，往往与各个族群不同的生存环境有着紧密的联系。高山、大海、丘陵、沙漠、草原、丛林、岛屿、沃野，都是人类的家园。不同的生存环境，最大化地考验着人类的适应力和创造力。各个族群在探索、改造周遭环境的过程中，得到了各种各样的知识和智慧。而在实践的过程中，这些知识渐渐化为各个族群千姿百态的生存方式和生活样态，人们的宇宙观、价值观也从中产生。究竟是我们改造着自然，还是自然塑造着我们？

2011 年，“波斯湾地区伊朗蓝吉木船的传统造船与航海技术”（Traditional skills of building and sailing Iranian Lenj boats in the Persian Gulf）被联合国教科文组织列入“急需保护的非物质文化遗产名录”。传统的伊朗蓝吉船，是一种手工制作的木船。生活在波斯湾北部海岸的人们用蓝吉木船进行海上旅行、贸易、捕鱼，以及潜水捕捞珍珠牡蛎。因为使用了防止水分和湿气渗透的鲨鱼油，蓝吉船的船身下部常常呈红色。制作一艘蓝吉船，通常需要 5 至 6 名匠人耗费 2 年半到 3 年的时间才能完成。在木船完工时，人们会举行一场特殊的仪式，过程中伴有伊朗传统音乐。

与蓝吉船有关的传统知识不仅仅涉及建造木船所需的技能，还包括了与航海相关的知识和技术。伊朗的航海家们懂得如何在波斯湾利用太阳、月亮和星星的位置，确定航行方向；他们使用特殊的公式来计算水的纬度、经度和深度。他们为每一种风都起了一个名字，在航行期间，风的类型、水的颜色或海浪的高度，都是他们预判天气变化的参数。水手们过去在船上作业时，常常边工作边唱歌，因此，蓝吉船与伊朗的口头传统也紧密相关。驾驶这些船只所需的航海知识传统，往往在家庭内部由父亲传给儿子。今天，木制的蓝吉船正在被较便宜的玻璃纤维船所取代。这预示着波斯湾与航海有关的哲学、仪式文脉、文化和传统知识正在逐渐消失。

建造中的蓝吉木船

随着人类生产生活方式的改变，许多古老的知识和实践都渐渐失去了原先的实用功能，一些渐渐没落，一些则由于其中所包含的独特娱乐或文化成分，从多数人掌握的知识变成了小众群体喜爱钻研的领域。

猎鹰训练术（Falconry,a living human heritage,2010），最初是一种人类通过训练鹰捕猎而获取食物的方法，已经有近 3 000 年的历史，在亚洲和欧洲都很多见，因而，这项遗产由阿联酋、比利时、捷克、法国、韩国、蒙古等十多个国家共同参与申报和保护。

哈萨克斯坦训鹰者

中世纪时，训练猎鹰是贵族们特别喜爱的一项消遣活动。到了今天，人们已经将这种活动更多地与自然保护、文化遗产以及社区内和社区之间的互动联系在一起。训鹰人凭借一套传统的方法训练、繁殖猛禽，与它们建立联系，并成为它们的主要保护者。世界上许多国家的训鹰方法大同小异。

在许多国家，训鹰人常常集体活动，他们一起外出长达数周的时间，白天从事猎鹰训练，晚上则一起讲述一天中的故事。在训鹰人看来，猎鹰使他们与传统连接，是他们与大自然和传统文化所剩无几的连接媒介。

马是人类古代社会最普遍的驯养动物之一，承担着交通工具的功能。不仅服务于人们的日常生活，还非常广泛地参与到了人类的许多战争之中。因而，关于马的知识，以及御马、养马之术，曾经是世界范围内非常普遍的知识与实践。看看汉字中有多少“马”字旁的字，就知道这种动物曾经多么深入而持久地参与过我们的生活。2011 年，“法国传统马术”（Equitation in the French tradition）被收录进人类非物质文化遗产代表作名录。

法国传统马术是马术运动的一个流派，强调人与马之间的和谐关系。马匹训练的基本原则和过程都以非暴力和少约束为主导，将人类的需求与对马的身体和情绪的尊重相融合。由于充分掌握了有关马和人的各种知识，如马的生理机能、心理状态和身体结构，或是人的情绪和身体控制等，骑士们能够将技巧和对马的尊重很好地结合起来。通常，骑士们都希望通过与马建立密切的关系，相互尊重，而在运动中达到轻盈的状态。马术虽然在法国和其他地方都有，但最广为人知的从业团体还是设置在法国国家马术学院的索米尔黑骑士马术团。

在人类非物质文化遗产代表作名录中，还有许多项目，其形式或表现为“口头传说和表述”“表演艺术”“社会实践、仪式与节庆”，或是“传统手工艺技能”，但深入剖析后就会发现，其最初的发生正是源于人类“有关自然界和宇宙的知识与实践”。对自然和宇宙的不同理解，直接造就了人类千姿百态的生活方式和文化表现形式。

16 世纪，奥斯曼帝国苏丹苏莱曼一世的母亲哈芙莎得了一种严重的疾病，无药可医。后来，皇太后哈芙莎被转诊到梅尔凯兹·埃芬迪医生的医院里进行治疗。梅尔凯兹精通医术，尤其擅长用香料和草药为病人治病。他根据哈芙莎的病情熬制了一款特别的药膏，使用了包括生姜、小豆蔻、樟脑、香草、茴香、决明子、乳香、肉桂、莪术、丁香、橘皮、甘草、桂花、黑胡椒、大黄、椰子、柠檬皮等 41 种原材料。皇太后服用了药膏之后，病情渐渐好转，最后竟然奇迹般地康复了。

为了让更多的人能与自己一样摆脱病痛，哈芙莎下令，让位于马尼萨的苏丹清真寺向前来问诊的病人分发这种药膏——梅西尔膏。药膏神奇的治愈能力很快家喻户晓，越来越多的人慕名前来。久而久之，苏丹清真寺分发梅西尔膏便成了土耳其人一年一度的传统活动，被称为“梅西尔膏节”，至今已延续了近 500 年，包含 41 种配料的传统配方也传承至今。

每年3月21日至24日，位于爱琴海边的马尼萨城都会涌入成千上万前来领取梅西尔膏的人。土耳其人认为，在进入春天之时吃下梅西尔膏，不但可以免受蛇虫的侵袭，还能在一年内实现自己关于婚姻、就业或求子的愿望。

梅西尔膏节

400多年来，“梅西尔膏节”这一传统不仅增加了当地社区的凝聚力，也使马尼萨以热情好客而闻名土耳其。2012年，“梅西尔膏节”（Mesir Macunu Festival）被收入人类非物质文化遗产代表作名录，其丰富的内涵囊括了非物质文化遗产的所有表现形式，而这一切，都源自400多年前梅尔凯兹·埃芬迪的那副药方，源自这位卓越的医生关于植物和人体生命健康的知识与实践。

西班牙的“科尔多瓦庭院节”也有着类似的内核。每年5月，位于西班牙安达卢西亚大区的古城科尔多瓦都会迎来一年一度的“庭院节”（The Fiesta of the patios）。从5月的第一周开始，大约持续12天。当地人在节日期间都会精心布置自家的庭院，向邻里和游人展示自己的作品。科尔多瓦市政府还组织庭院比赛，设置大奖，以提高人们的积极性。

科尔多瓦人的庭院通常并没有中国传统园林那样大的空间，但这丝毫不影响当地民众对园艺的热衷。他们突破了平面空间的限制，向上发展，把高高低低的墙壁、错落的廊檐和阶梯都作为鲜花的舞台。“庭院节”期间，整个科尔多瓦都弥漫着茉莉、橙花和其他花香混合的芬芳。每走进一座庭院，都仿佛置身花的海洋。湖蓝、草绿、陶褐的各式花盆中，烂漫的紫色天竺葵，深深浅浅，在风中摇曳。从墙沿上倾泻而下的三角梅，仿佛燃烧的红云，浮在院子的一角。蜿蜒的藤蔓，搭载着层层绿叶，覆满一面面雪白的墙壁。每年5月，总有世界各地的人涌向这些庭院，前来感受梦一般绚烂的色彩和盎然的生机。

其实，“科尔多瓦庭院节”只有100年的历史，并不算古老，但这些庭院和当地人在庭院中种植花木的历史却很悠久。西班牙在公元前 2 世纪被古罗马人占领，统治者把罗马人建造庭院的传统也带到了这里。科尔多瓦的夏天干燥酷热，庭院的设置有利于房屋通风。8 世纪，摩尔人入侵西班牙，带来了阿拉伯文化。艳丽的色彩、花瓷砖、拱门、鹅卵石地面等阿拉伯元素开始进入科尔多瓦的庭院。同时，由于阿拉伯文化中对水与绿荫的向往，人们在庭院中大量种植各种灌木、乔木、花草，还将水池、喷泉、水渠等水体引入庭院，确保植物茁壮成长。[①] 久而久之，这种装饰方法逐渐成为西班牙南部地区庭院的独特风格。

科尔多瓦庭院节

剥离文化与审美的外壳，我们可以看到，科尔多瓦的庭院，其实是一种人类古老的建筑学、植物学与生态学的实践——在狭小的空间里，通过庭院的设置，保障居住空间的通风与采光，同时实现人居空间与自然空间的融合。在气候炎热的地区，以大量的水体与植被，尤其是被覆了建筑外立面的植物，来调节庭院和建筑的温度，改善人的居住体验。在全球提倡建设生态城市的今天，这样的案例无疑具有很好的示范意义。2012 年，“科尔瓦多庭院节”被列入人类非物质文化遗产代表作作名录。

有关自然界和宇宙的知识与实践，与人类文明相生相伴，在文字无法抵达的领域，它们以语言、仪式、习俗、生产生活技艺等各种非文字的形态被世代传承，化为一个族群独特的经济发展模式、宇宙观和信仰体系。这些古老的知识，不仅以其固有的形式持续守护着人类的美好生活，还常常如明灯和阶梯，启迪

---

① M · Genoveva Mill á n V á zquez de la Torre，Leonor M · P é rez Naranjo，Ricardo David Hernandez Rojas. The Fiesta of the Patios: A Heritage Tourism Resource in the City of Cordoba, Spain[J]. *Mediterranean Journal of Social Sciences*, Vol 9 No 4，July 2018.

指引着人类对更多未知的探索，将智慧之光照向我们的未来。然而，全球快速的城市化发展，气候变化，以及砍伐森林、沙漠蔓延等导致的自然生态变化，不可避免地威胁到了许多传统工艺和动植物种类的存续，从而直接导致相关族群世界观或信仰体系的瓦解。因此，非物质文化遗产的保护不是一个孤立的命题，它与自然环境的保护也息息相关。

说一说

1. 为什么说一个族群有关自然界和宇宙的知识与实践，与他们的经济发展模式、宇宙观和信仰体系相关？举个例子。

2. 为什么保护非物质文化遗产和保护自然环境息息相关？举个例子。

小试牛刀

看过好莱坞电影《荒岛余生》（*Cast Away*）或是法国作家儒尔·凡尔纳的小说《神秘岛》吗？如果某天忽然置身荒岛，与一切现代文明隔绝，你希望自己拥有哪些知识和技能呢？和同学组队，选择一种自然环境，请地理老师帮助你们分析一下这种环境中的气候、地形、自然资源状况等，设想一下你们几人在这样的环境中将如何生存？有哪些先天优势可以利用？会遇到哪些威胁生存的问题？又有哪些人类祖先积累的知识和技能能够帮助你们解决这些问题？

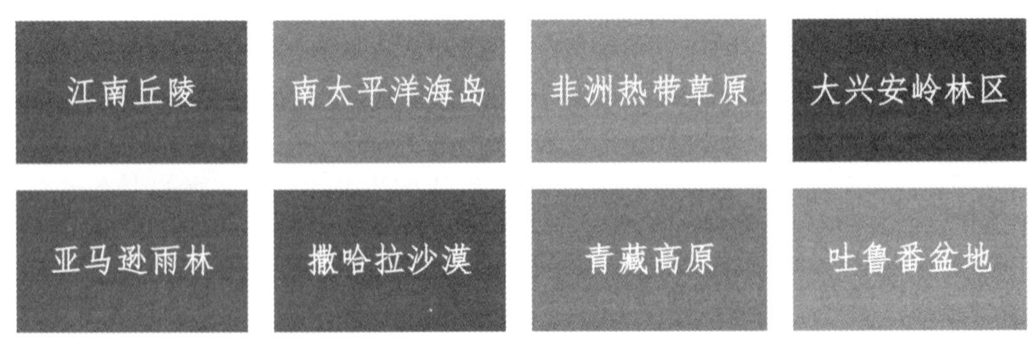

第七节　因材施艺的多元实践

——解读“传统手工艺”之一

小热身

你是否有做手工的爱好呢？你做的手工通常使用哪些材料？

传统手工艺，是指具有历史传承和民族或地域特色、与日常生活联系紧密、主要使用手工劳动的制作工艺及相关产品，是创造性的手工劳动和因材施艺的个性化制作，具有工业化生产不能替代的特性。

在人类早期社会，物质材料匮乏，这一时期人们对于工具材料的使用主要集中在满足基本的生存需要。在人们的生产实践中，这些器物材料的制作方法作为生产经验逐渐保留下来，并且在人类社会中代际相传，这就形成了非物质文化遗产。这些物质生产资料被广泛应用在建筑构造、交通工具、家具制作中，满足人们日常生活吃、穿、住、用、行的需求，而这些制造技艺也作为传统手工艺流传至今，为人类如今的生产活动提供指导。

正如联合国教科文组织所述：“传统手工艺是非物质文化遗产中物质性最明显的。”传统手工艺的物质性和精神性的双重特点表现得十分显著：一方面，传统手工艺承载了非遗的精神类对象，如“知识”“技能”；另一方面，传统手工艺所使用的“工具”“手工艺品”等又是非遗的物质类对象。传统手工艺是人类物质和精神文明的复合体，手工艺品是人类知识技能的物质载体，人类的知识技能是塑造手工艺品的内在动力。因此，在非物质文化遗产的视域下讨论传统手工艺时，我们应该关注手工艺所涉及的技能和知识，而不是手工艺品本身；保护的尝试应着重于鼓励手工艺人继续生产手工艺并将其技能和知识传授给他人，而不是着眼于保存工艺品。[①] 在这一讲中，我们将把目光聚焦在传统

① 王文章.非物质文化遗产概论[M].北京:文化艺术出版社,2006.

手工艺，透过一件件精巧的手工艺品捕捉人类的巧思，看看智慧的人类如何将普通的材料幻化为神奇。

中国是传统的农业大国，以手工劳作为主要的生产方式，在生产过程中发明了许多创造性的传统工艺，中国传统桑蚕丝织技艺（*Sericulture and silk craftsmanship of China, 2009*）就是其中的杰出代表。杭嘉湖平原以及山东、四川、陕南等地的先民们，在各自相应的社会与生态环境中，历经数千年的实践与积淀，形成了特色鲜明的蚕桑生产民俗，内容无比丰富，不仅包括在蚕桑生产领域里的一系列传统手工技艺与知识：桑树栽培与采摘技艺、传统的制蚕种和催青技艺、收蚕蚁和小蚕、大蚕的饲养技艺、上蔟和采蚕茧的技艺、防治各种蚕病虫害的传统知识、蚕具制作技艺、蚕桑生产副产品利用的传统知识、土法烘茧技艺、缫土丝手工技艺、剥丝绵手工技艺等，还包括整个生产流程中所用到的各种巧妙的工具和织机，以及由此生产出来的绚丽多彩的绫绢、纱罗、织锦和缂丝等丝绸产品。十分有趣的是，传统桑蚕丝织还渗透到了其流布地区民众日常生活的方方面面，涉及他们的信仰、节日庆典、婚丧礼仪、民间文学与语言，以及各种民族民间艺术的范畴。这一传统生产手工技艺和民俗活动至今仍流传于浙江北部和江苏南部的太湖流域（包括杭州、嘉兴、湖州和苏州等市）以及四川成都等地，5 000多年来，它深刻塑造了流布地区民众的日常生活与文化人格，对中国社会的发展做出了重大贡献，并通过丝绸之路对全人类的文明产生了深远影响。

缫丝（图片来源：澎湃新闻）

值得一提的是，智慧的中国人还非常懂得如何将生态学的科学理念运用到蚕的养殖过程中，在遍布村庄的池塘中，桑蚕废料被喂给鱼类，而池塘中的泥土则给桑树施肥，叶子又喂蚕，由此形成了一个可以实现物质和能量循环利用的小型生态系统，这体现了中国传统农业中可贵的可持续发展理念，对当代世界的可持续发展是非常有益的启示。

领略了桑蚕丝织技艺的神奇与美妙，再来看看坚硬的木头又激发出了人类怎样的智慧与实践。如果说中国是世界上最擅长和木头打交道的国家，那是一点都不为过的。2009 年，我国的传统木结构建筑营造技艺（Chinese traditional architectural craftsmanship for timber-framed structures）被列入《人类非物质文化遗产代表作名录》。这项技艺是以木材为主要建筑材料，以榫卯为木构件的主要结合方法，以模数制为尺度设计和加工生产手段的建筑营造技术体系。这项技艺的巧妙之处在于，无需钉子或胶制品，只需通过工件之间的插接，便能建造出稳定的建筑结构。

中国木拱桥传统营造技艺

中国人还将这项技艺用在了桥梁的建造中，同年被列入联合国教科文组织《急需保护的非物质文化遗产名录》的中国木拱桥传统营造技艺（Traditional design and practices for building Chinese wooden arch bridges），便是采用原木材料，使用传统木建筑工具及手工技法，运用“编梁”等核心技术，以榫卯连接并构筑成极其稳固的拱架桥梁技艺体系。木匠的建造工艺按照严格的程序，通过师傅对学徒的口传心授或是作为家族手艺而代代相传。作为传统工艺的载体，木拱桥还充当着文化空间的角色：它们是当地居民重要的聚集场所，人们在木拱桥上交流信息、开展娱乐活动、举行祭拜仪式，从而加深了感情，凸显了文化特征。① 传统木结构建筑营造技艺体系已延承了七千多年，遍及中国全境，并传播到日本、韩国等东亚各国，是东方古代建筑技术的代表。②

在欧洲，法国木构架划线放样工艺（Scribing tradition in French timber framing）同样大放异彩。划线放样工艺的目的在于掌握复杂的木建筑设计的三

① 中国非物质文化遗产网·中国非物质文化遗产数字博物馆：www.ihchina.cn/directory_details/11767

② 中国非物质文化遗产网·中国非物质文化遗产数字博物馆：www.ihchina.cn/directory_details/11785

维空间。这项传统的专门技术与现代的机械化标准相反，强调建筑者在建造过程中的作用，并且赋予结构本身一种创造性的推动力。法国自 13 世纪以来就使用划线放样这种组合的图解工序，它能够通过设计图精确地表达一座建筑物的体积空间、相互接合，以及木质组件的特色。它的传授是和建筑理论及实践截然不同的特殊科目。在这种工艺过程中，木匠可以在营造之前测定所有的组件，无论它们多么复杂，从而保证木构架建成时所有的组装部件将会完美地安装到一起。法国的木构架划线放样工艺和中国传统木结构建筑营造技艺都用到了榫接技术，通过工件的穿插拼接实现材料的组合固定。这项技艺于2009年被联合国教科文组织列入《人类非物质文化遗产代表作名录》，目前已经被法国纳入教育系统，法国的很多学院及研究所，如法国巴黎大学的联合会，都开办了划线放样的培训中心；法国的行业协会及在职教育，也提供类似的专门训练，并提供相关职业证书。

法国木构架划线放样工艺

人类为了生产生活取材于自然，灵感天马行空，不拘一格，自然界中再不起眼的存在，都可能成为推动世界发展的巨大能量。造纸术的发明作为中国四大发明之一，就为世界带来了书写材料的革命。在经历了甲骨、竹简、绢帛等文字载体后，纸的出现一举突破了以上材料造价昂贵、不易携带、不便书写等局限，成为使用范围最为广泛、历史传承最为悠久的书写材料，而其中取材于青檀皮和沙田稻草的宣纸尤为佳品。

宣纸传统制作技艺（Traditional handicrafts of making Xuan paper, 2009）是传统手工纸技艺的杰出代表，因纸质洁白、柔软细腻以及润墨性、变形性、耐久性、抗虫性等特性，宣纸享有“纸中之王”“千年寿纸”等美誉。[①] 自唐代以来，宣

① 汤夺先，伍梦尧. 非物质文化遗产的生产性保护：内涵意蕴、问题呈现与学理反思——以宣纸为例的探讨 [J]. 文化遗产，2017(06):9-15.

纸一直是书法、绘画及典籍印刷的最佳载体，机制纸至今仍无法替代。宣纸传统制作技艺的制造流程被称为“日月光华，水火周济”，利用阳光晒干漂白代替工业漂白剂的使用，利用猕猴桃藤汁来提高纸浆的黏合度。一共要经历108道工序，技艺精细、程序复杂、工序繁多、耗时较久，对水质、原料制备、器具制作、工艺把握都有严格要求。这一技艺经口传心授世代相传，不断改进，与多种文化元素结合，对传承中华民族文化产生了深远影响，对促进民族认同和维护文化多样性起到了重要的作用。①

宣纸传统制作技艺

最后，让我们回归到传统手工艺概念本身：“传统”意味着其具有悠久的历史传承，且在时代变迁中不仅顽强地生存下来，并始终保持着活力，承载着民族地域历史文化的记忆。而如何才能始终保持活力呢？这就要求传统手工艺广泛普遍地参与到人们的日常生活中，在人们的衣、食、住、用、行等方方面面继续发挥作用。“手工艺”要求传统手工艺生产是去机械化的，是通过劳动人民的双手进行的生产实践活动；同时，在生产中不能一味地模仿，要发挥人的创造性，通过思考做到因材施艺、物尽其用。通过以上解读可知，“人”始终是传统手工艺的核心要素，人类通过智慧的巧思赋予各种材料以新的生命。宣纸行业中就流传着一句俗语“一张宣纸，千滴血汗”，薄薄的一张宣纸背后凝结的是手工艺者的心血，宣纸也因人的温度而厚重起来；法国木构架划线放样工艺的保护措施中，对匠人的重视与培养，也是遵循传统手工艺人本思想的体现。“对机器般标准化的抗拒和对人性与个性的回归，是传统手工艺越来越受欢迎的重要原因。”② 这种“人性”并非指人的脾气秉性，而是人发挥主观能

① 中国非物质文化遗产网・中国非物质文化遗产数字博物馆：http://www.ihchina.cn/directory_details/11835

② 王时音，强墨．工业设计时代手工艺的回归 [J]. 包装工程，2015,36(04):5-9.

动性进行创新创造的智慧，是人区别于机器的本质特征。因此在工业生产的挑战之下，传统手工艺的复兴关键在于“人”的价值被发现和欣赏，进而成为一种不可替代的存在。

说一说

你觉得机械化发达的年代，手工制作的意义是什么？

小田野

和美术老师或者身边画国画的朋友聊一聊，机制纸和手工纸的区别在哪里？这样的区别具有哪些价值？

小试牛刀

传统手工艺涉及的材料十分广泛，从下列材料中选择一项，查阅文字与影像资料，看看人类在这种材料的利用上有过哪些奇思妙想和伟大的实践，又发展出了哪些有趣的传统手工技艺与制品。结合生物、地理、化学、物理、历史、美术等学科的知识解读其中的奥秘，完成一份研学报告，与同学分享。

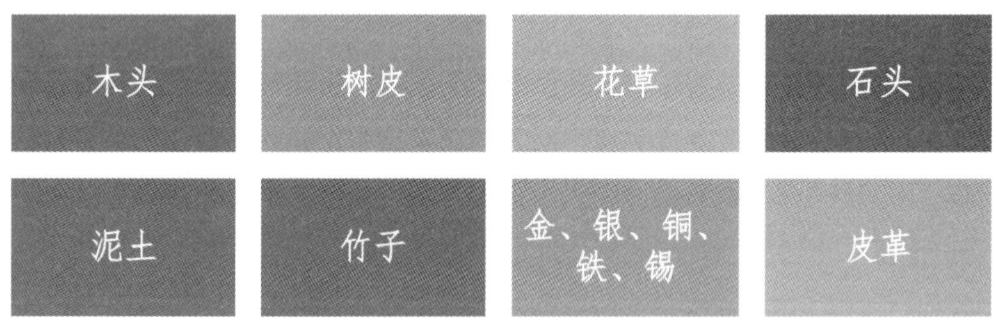

趣味拓展

［日］美帆：《诚实的手艺》，湖南美术出版社，2016 年。

第八节　用双手回应美的感召

——解读“传统手工艺”之二

小热身

你在旅游时购买过哪些手工艺品？你喜欢什么风格的手工艺品呢？

《保护非物质文化遗产公约》将非遗分为五类，中国依据其自身独特的情况，将非物质文化遗产划分成十六个门类。国际体系中的传统手工艺实际上对应了国内分类系统的民间美术和民间手工技艺两个门类，细分则有绘画、雕塑、工艺、建筑、工具和机械制作、农畜产品加工、烧造、织染缝纫、金属工艺、编织扎制、髹漆、造纸、印刷和装帧等 14 个小类。截至 2018 年，我国共有 40 项入选联合国教科文组织非物质文化遗产名录的项目，涉及传统手工艺的高达 16 项，数量十分可观。“技艺”包含“技”与“艺”两层含义，“技”是技术智慧，是世代传承的智慧财富；“艺”是艺术审美，是生命饱满的热情。在上一节课中，我们通过一件件传统手工艺领略了先民的智慧，懂得了他们是如何将大自然中的天然材料变幻成日常生活所需。实际上，传统手工艺的囊括范围是十分广泛的，当人类基本的物质需求得到满足后，便产生了艺术审美的需求，而这同样离不开传统手工艺发挥作用。

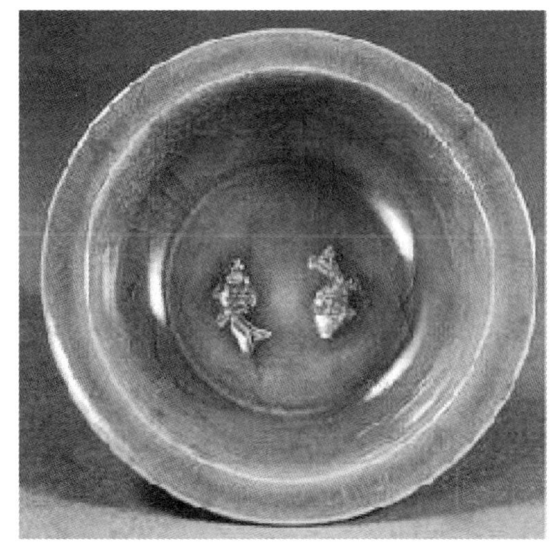

宋龙泉青瓷梅子青双鱼盘

我们都知道“中国”在英语中是“China”，但是其当这个单词小写时，它表示的则是“瓷器”的意思。中国的瓷器曾在相当长的一段时间中被视为中国的象征符号，龙泉青瓷传统烧制技艺（Traditional firing technology of Longquan celadon）就是其中典型代表之一。龙泉青瓷传统烧制技艺至今已有 1 700 余年的历史，包括原料的粉碎、淘洗、陈腐和练泥；器物的成型、晾干、修坯、装饰、素烧、上釉、装匣、装窑等制作流程，最后在龙窑内用木柴烧成。在原料选择、釉料配制、造型制作、窑温控制方面，龙泉青瓷均具有独特的技艺。[①]

南宋时期，人口南迁为江南地区带来了大量的北方匠人，江南地区制瓷业得到了极大的发展。[②]与此同时，水上交通的发展促进了对外贸易的展开，瓷器的大量出口也使得制瓷业获得了发展。由此，南北技艺的融合、商贸运输的发展促使龙泉窑进入了繁荣发展的鼎盛时期。粉青、梅子青、豆青等青釉是这一时期最常见的几种釉色。其中粉青釉的外表柔和淡雅，是白胎青瓷和黑胎青瓷中数量最多的一种釉色。梅子青的釉层清澈透明，釉色青翠，但釉厚薄不均，有流釉现象。龙泉窑烧制的“粉青”“梅子青”厚釉瓷，淡雅、含蓄、敦厚、宁静，是中国古典审美情趣的表现。

到了元代，龙泉瓷在工艺方面进行创新，如釉上贴花、褐彩等。此外，瓷器中还刻有“福”“禄”“寿”“富”“大吉”等吉利语，寄托人们美好的祝愿。龙泉青瓷烧制技艺不仅服务了人类生活，而且能够给人们带来独特的审美体验。[③]

上一讲中提到的桑蚕丝，又能做出哪些美好的制品呢？南京云锦就是典型的代表。南京云锦织造技艺（Craftsmanship of Nanjing Yunjin brocade）是一种传统的提花丝织工艺。究竟何为“锦”？南宋文字学著作《六书故》对“锦”有此定义“织彩为文曰锦”，“彩”即不同颜色的丝线，“文”即花纹。由此可见，锦最突出的特点就是它华丽的色彩和精美的纹案。

南京云锦是皇家御用品贡品，是中国织锦技艺最高水平的代表。它将“通经断纬”等核心技术运用在构造复杂的大型织机上，由上下两人手工操作，用蚕丝线、黄金线和孔雀羽线等材料织出华贵织物。

云锦之所谓“云”锦，在于其大量使用妆花云纹图案，云纹多用红、绿、蓝三色做基底，辅以浅红、浅绿、浅蓝、白色等，增强色彩的层次感，使画面

---

① 中国非物质文化遗产网・中国非物质文化遗产数字博物馆：http://www.ihchina.cn/directory_details/11834

② 边泽星.理学与瓷制——南宋中晚期理学影响下的龙泉青瓷制式[J].大众文艺,2020(05):247-248.

③ 周慧雄.龙泉窑青瓷发展的简述[J].文物鉴定与鉴赏,2020(03):41-43.

南京云锦

具有动态流动的节奏之美。[①]此外，南京云锦图案的题材广泛，既有大朵缠枝花卉，又有各种动物和植物，还有表示吉祥的“八宝[②]”“暗八仙[③]”“吉祥”“寿”字等，都是寄托了美好祝愿的吉祥纹样。

由于专供皇家贵族使用，这就要求云锦纹样在配色上要鲜明强烈，具有华贵、庄重和轩昂的美学气质。凭借“色晕”“大白相间”“片金绞边”等装饰手法和表现技巧，纹样色彩美丽动人，形成了色彩瑰丽、绚烂、庄重、典雅的美学风格。

所谓“色晕”主要是指通过色彩的浓淡变化来表现画面图案的层次和节奏感，弱化色彩的强度，使色彩达到自然和谐；“大白相间”则是运用白色来填充图案主体纹样的外晕，稳定色彩的视觉效果，避免色彩过于炫目；“片金绞边”是指纹样的周边使用金色的线来描绘，凸显纹样的轮廓。云锦用色考究还体现在金、银的运用上，这两种色彩可以在对比强烈绚丽的云锦图案中起到调和作用，使整体风格趋于和谐，同时增添高贵悦目之感，从而形成云锦特有的金彩交映的色彩意象。

云锦用色对比强烈，深沉与张扬并蓄，庄重又不失灵动，这实际上蕴含着人们对于皇室的期待——大气、宽仁，同时懂得变通；在纹饰选择上，既有佛教文化中的“八宝”图案，又有道家文化中的“暗八仙”，这反映了中国的多信仰体系和趋利避害的民族特性。

在我们的近邻日本，也有一项历史久远的传统手工艺——新潟县鱼沼地区苎麻布织造工艺（Ojiya-chijimi, Echigo-jofu: techniques of making ramie fabric in

① 陈光龙.管窥南京云锦的色彩意象[J].美术大观,2018(12):64-65.

② 八宝依次为宝瓶、宝盖、双鱼、莲花、右旋螺、吉祥结、尊胜幢和法轮，是藏传佛教中八种表示吉庆祥瑞之物，多用来象征吉祥、幸福、圆满。

③ 暗八仙又称为“道家八宝”，是八位神仙所持的法器，由于是以法器暗指仙人，所以称为暗八仙，这八种法器分别是：葫芦、团扇、鱼鼓、宝剑、莲花、花篮、横笛和阴阳板。它们与八仙具有同样的吉祥寓意，代表了中国道家追求的精神境界。

Uonuma region, Niigata Prefecture，2009）。这种手工纺织技艺取材自然，用苎麻纤维织布。

苎麻是多年生草本植物，茎皮中含有优质的天然纤维，拉力强，纤维长，且洁白有光泽，因而很早就被人类运用于生产生活中。苎麻作为纺织材料的历史非常悠久，在我国浙江钱山新石器时代遗址中就曾发掘出苎麻布，据测定，距今约 4 700 年。

苎麻纤维的细胞中腔小，细胞壁厚，壁上的孔隙又少，因而所含空气较少，这就意味着它的保温性较差，散热性强；而且，苎麻纤维比棉纤维粗，织成布后，经纬线间的间隙自然就较大。这样的布穿在身上，透气性好，汗水蒸发快，所以就成为制作夏衣首选的天然布料。

新潟县鱼沼地区苎麻布织造工艺

新潟县鱼沼地区苎麻布织造工艺主要流布于日本本州西北部，那里的冬天时常降雪，皑皑的白雪也是制作这种苎麻布不可或缺的“助手”。当地人利用苎麻茎皮手工制取苎麻纤维，将其拧成线绳。再将成捆的苎麻线用棉线扎紧，然后染色。纺织使用的小型织机并不复杂，但是有了染色的麻线，就可以纺出简单的几何图形或花草图案。纺织完成后，将布料浸泡在热水中清洗，并用脚踩踏。然后将湿布摊晒在室外的雪地上，让它接受太阳光的照射，使布料的刺激性气味随着雪的蒸发而释放。就这样晒 10 到 20 天，一块苎麻布的制作才算完工。数百年来，用这种布料做成的衣服深受各个社会阶层人民的喜爱，布料上的纹样简约质朴，与近些年日本流行的极简主义的生活方式也非常契合。

传统手工艺就地取材，各地区民族发展的历史、风俗、自然环境等多种因素都会造成材料的差异，进而影响手工艺品的形态、性质、特征，因而手工艺具有鲜明的民族性和地域性特征。[①] 此外，无论是龙泉青瓷、南京云锦还是新潟县的苎麻布，这些精美的传统手工艺品无不凝聚了一地民众固有的审美经验和精神需求，并且渗入到日常生活的方方面面，强化着民众对自身文化身份的认同，而这正是传统手工艺超越实用性的深层价值。工艺承载了人类在生活实践和文明发展历程中所形成的审美和道德标准，是民族深层文化观念的外显。

当前，传统手工艺项目所面临的困境不容忽视：大规模工业化生产对其发出的挑战、环境和气候的变化、手工艺品需求量减少、传承人减少、技艺失传等问题严重威胁到传统手工艺的生存。中国作为一个非物质文化遗产大国，拥有非常庞杂的非遗系统，因而也面临着更加严峻的挑战。

说一说

1. 传统手工艺品和工厂里机器批量生产的工业化制品有区别吗？你更喜欢哪一种？为什么？

2. 你觉得影响传统手工艺传承的因素主要有哪些？

趣味拓展

［日］柳宗悦：《民艺论》，孙建军等译，江西美术出版社，2020 年。

---

① 李建军.用与美:传统民艺的再生之本——品读《工艺文化》的思考 [J].中国图书评论,2019(09):68-75.

第九节 包罗万象的传统节日

——解读“社会实践、仪式和节庆活动”之一

小热身

你喜欢哪些传统节日？这些传统节日曾带给你怎样的记忆和感受？

在日常生活中，总有一些特别而意义非凡的时刻，它或许是一次生日宴会、或许是一次群体祭祀活动、或许是各民族内部丰富多彩的节日……可别小看这些时空中的人类活动，它们往往蕴含着一个民族或人类群体特有的思维方式、独特的想象力和精神内涵，具有历史、文学、艺术甚至是科学价值。联合国教科文组织把这样一类的人类群体性活动都归入到“非物质文化遗产”（Intangible Cultural Heritage）的概念中，认为它们是人与人之间进行交流和了解的要素，对人类社会的发展有着不可估量的作用。

2003年10月17日，联合国教科文组织（UNESCO）第三十二届大会通过了《保护非物质文化遗产公约》，这份《公约》将“非物质文化遗产”（以下简称“非遗”）分为五个大类，其中一类就叫作“社会实践、仪式和节庆活动”。这是国际上一个较为笼统的分类，根据UNESCO的解释，具体来说，包含了崇拜仪式、成人仪式、婚育寿诞仪式、丧葬仪式、传统法律制度、传统游戏和体育、亲属关系及其仪式、居住习俗、烹饪传统、季节性仪式、仅限男性或女性的习俗、狩猎习俗、捕鱼习俗、采集习俗等，还包括各种各样的表情语言和肢体语言等。2011年3月，中国颁布了《中华人民共和国非物质文化遗产法》，基本上沿用了《公约》的这一大分类。不过，中国的政府部门、文化工作者和民俗学家根据本国非物质文化遗产的实际状况，还进一步对“社会实践、仪式和节庆活动”这个大类做了各种各样的细分和阐释。总体来看，这一类“非遗”通常包含了传统节日、传统生产知识、传统生活知识与技能、传统仪式、人生礼仪、民间信俗及实践等。在实际研究和保护工作中，我们会发现，这些项目分类也不是

界限分明、固定不变的，而是在具体的非遗文化中相互交织、相互构成。

传统节日往往是以仪式为中心建构起来的，如春节的贴春联、放鞭炮、压岁钱、守岁等中国人特有的仪式贯穿了整个节日。清明节从古至今的禁火、吃冷食、插柳、祭祀扫墓等也是重要的传统仪式。反过来说，传统仪式只要形成一定规模，且有固定的时间段作支撑，一般也会转化为传统节日。今天的元旦、元宵节、清明节、寒食节、端午节、乞巧节、鬼节、中秋节等，几乎无一不是在传统仪式的基础上发展起来的。传统仪式深层意义上其实是民间信仰的外在表现，如元宵节起源于天体崇拜，端午节发源于古代人的防疫保健实践，腊月二十三起源于送灶仪式，除夕起源于驱鬼仪式。诸多的传统节日、仪式庆典甚至传统手工艺都显示出很重要的一点，那就是民间的信仰和传统观念潜在地约束并规范着我们的实践活动。

现在我们不妨回到课前的第一个小问题，相信你一定能说出春节、清明、端午、中秋等中国人必过的传统节日，也许你还能说出圣诞节、感恩节、万圣节等西方的传统节日，这些节日带给你的感受应各有不同。但是你知道这些传统节日背后的故事吗？你知道这些节日所蕴含的文化传统吗？

比如中秋节，它是秋天最重要的节日，全家人要团聚在一起吃月饼、喝茶、赏月。大概都听过嫦娥奔月、吴刚伐桂的美丽传说，但是我们不一定知道中国人占老的月亮崇拜观念，不一定知道古人曾经非常重视对月亮的祭祀，个一定知道月亮神话的历史流传过程以及其中的道教文化色彩。而这些对于中秋节的形成却有着至关重要的作用。月为“夜明之神”，与太阳同辉。中国传统节日的时间大多与月球的运动规律有关。月半时节的满月，常给人以圆润丰满的美感，月亮成为传统文化中重要的审美对象。从古至今，多少文人墨客对月赏玩吟咏，月亮已经成为中国人思亲、盼

中秋拜月

团圆的文化象征，成为中国人集体的精神寄托。试想如果没有中秋节，也许就没有历代文人墨客吟咏中秋明月的那些美好诗句，那样我们的文学史和文化史将会留下多少缺憾!

在联合国《非物质文化遗产保护公约》中，节日庆典得到了前所未有的重视。2009 年 9 月，联合国教科文组织正式审议并批准中国端午节列入人类非物质文化遗产，端午节成为中国首个入选世界非物质文化遗产的节日。相比于中秋节、春节，甚至是清明节，端午节似乎算不上是最盛大的节日。那么，为什么首次跻身世界“非遗”的恰恰是端午节呢？事情还得从 2004 年的一封信函说起。2004 年 5 月初，时任文化部副部长周和平收到一份急件称，韩国已将“端午”列入国家遗产名录，很快将向联合国申报。在一次会议上，周和平焦虑地说：“有着悠久历史的端午节是中国的传统节日，如果国外申报成功，我们该有多么尴尬？我们还有何颜面去见列祖列宗？”

2005 年，韩国的“江陵端午祭”被联合国宣布为“人类口头和非物质遗产代表作”。这一消息当时在中国国内引起巨大反响，媒体与网络沸沸扬扬了好一阵，有关方面也厘清了韩国的端午祭和中国的端午节是两回事，但这事给国人的刺激着实不小。很多人纳闷：中国的端午节是本源，历史更悠久，为何他国抢先？这种心有不甘的反思，也使有关方面的紧迫感增强。

《端阳故事图》册之裹角黍，清乾隆，徐扬，绢本设色，纵 20.7 厘米，横 18.2 厘米，现藏故宫博物院

2008 年，湖北省非遗保护中心代表中国，向联合国教科文总部递交了“端午非遗”的申报书和相关材料。端午节迄今已有 2500 余年历史，每个地方都各有特色，为何选择湖北牵头申报？原来，在国家确定的湖北秭归和黄石、湖南汨罗、江苏苏州这三省四地中，湖北省秭归县是屈原家乡、湖南汨罗市是屈原投江的地方、湖北黄石以赛龙舟为核心，而江苏省苏州市是端午纪念伍子胥的代表地区。各地习

俗虽然不尽相同，但核心主题一样，都是祭祀、驱瘟、除恶、消灾、祛病，其中尤其以湖北省的秭归县和黄石市更具典型性。

在屈原故里秭归，一个端午过三次：五月初五小端午挂菖蒲、艾蒿，饮雄黄酒；五月十五大端午龙舟竞渡；五月二十五末端午送瘟船，亲友团聚。尤为独特的是，屈原诞生地秭归乐平里农民们自发组织的骚坛诗社，每年端午节咏唱"时维五月兮，节届端阳；竞渡龙舟兮，吊古忠良"，400 年来传承不息。

而在黄石，西塞山神舟会有着整套完备的活动方式，从神舟扎制、唱大戏、祭祀、巡游到最后的送神舟下水，一系列仪式历时 40 天，群众活动丰富多彩，是目前国内端午节期间时间最长的祝福和祭祀活动。

可见，端午节的节庆主题、纪念仪式和广大民众的体验参与，2 000 多年来传承不息，至今仍在民众的日常生活中闪耀着不同寻常的光彩。它是我们民族的集体记忆，它将一个国家的过去和现在勾连起来，给一个民族的思维和行动提供历史文化的坐标。每年初夏，端午都在某种意义上塑造着我们的文化认同，提醒着"我们是谁""我们从哪里来"。这次"申遗"成功，让更多人开始关注端午和其他的传统节日，并认识到保护一个民族传统文化的重要性。

在全球化和现代化的今天，不同文化之间的交流和竞争日趋明显，传统节日文化也不例外。2017 年 11 月，由华特·迪士尼电影工作室、皮克斯动画工作室联合出品的动画长片《寻梦环游记》（*Coco*）在中国内地影院上映。短时间内就掀起观影狂潮，不到一个月票房即突破 10 亿元大关。2020 年 7 月 20 日，因新冠疫情久未营业的中国影院迎来了复工，头三天里重映旧片《寻梦环游记》仍排名前三。这样出人意料的好成绩在皮克斯作品中可谓是破天荒的事，是他们把人设变得更呆萌了？还是把故事的年龄门槛降低了？或是碰巧赶上了好档期？都不是。事实上，让《寻梦环游记》在中国成为"现象级"

电影《寻梦环游记》海报

动画影片的更多是文化上的原因。

如果你恰好看过这部电影，一定曾为之深深感动。影片以墨西哥亡灵节为叙事语境，讲述了一个名叫米格的12岁墨西哥小男孩为了追求自己的音乐梦想，在亡灵节当天误闯亡灵之地，后被冥界的亲人想方设法送回到人间的奇幻冒险故事。作为故事的源头，亡灵节对于墨西哥人的意义好比春节对于中国人，它是墨西哥最重要的节日，距今有将近3 000年的历史。16世纪，西班牙殖民者来到美洲大陆后，把西方的诸圣节与墨西哥土著亡灵节以及其他一些祭祀风俗结合起来，便形成了今天的亡灵节（每年的11月1日—2日）。联合国教科文组织于2003年，以“献于死者的在地庆典”，将墨西哥亡灵节列入人类非物质文化遗产代表作名录。

剪纸、蜡烛、祭台、骷髅、墨西哥音乐、万寿菊、无毛犬、亡灵世界……这部影片对墨西哥亡灵节民俗文化的准确呈现固然令人惊叹不已，但传统文化观念在这部动画电影中展现的价值才是最值得我们重视的。《寻梦环游记》并非为中国观众量身打造，但其塑造的世界观与中国传统民间习俗非常相似。在我们的传统文化中也有阴阳两个世界。人死后进入阴间，活着的人为了表达思念，逢年过节要祭拜。中国的春节、清明节、中元节、寒衣节、冬至节等都是纪念亡灵的传统节日。事实上，在人类族群中都会有像亡灵节这样的节日，这些亡灵回家的节日提供了一种让人安宁的生死观，让活着的人知道即便去世，也依然可以有特别的方式和在世子孙发生联系。影片对亡灵节精神的诠释，传达了一个充满亲情的理念，那就是只要活着的人还记得逝去的亲人，那她就还会存在，会以另一种方式陪伴在你身边。这才是打动无数中国观众的真正原因。所以，从亡灵节的层面来看，《寻梦环游记》属于墨西哥，但是具体的文化符号之外，电影的深层是家庭和亲情，从这个层面来说，它属于所有人。这部影片也生动地诠释了那句老话：只有民族的才是世界的。

从节日的故事里我们不难看出，一个民族的传统节日是其传统文化的标志，它们是广大民众物质生活、精神生活和社会生活在特定时空的集中体现，这些传统节日就像一艘艘大船，承载并传递着人们的信仰、人伦、传说、饮食、娱乐等丰富多彩的文化蕴含。

超级链接

民间信俗：信俗又称“俗信”，是人们在长期生产生活过程中形成的一种约定俗成的传统理念，在这种理念的支配下，民众会对某种民俗现象产生心理和行为认同。传统民间信仰崇拜的神灵是信俗产生的一个重要源头，祈福避害则是传统信俗传承不断的内在原因，各种民俗文化表现形式的集合构成了民间信俗的文化空间。

说一说

1. 我们为什么要年复一年地庆祝节日？除了节日，还有哪些仪式性的群体活动是人们郑重其事、代代相传的？

2. 你觉得民间信俗和“迷信”有什么联系？又有什么区别？

小试牛刀

选择你最喜欢的一个节日，从历史记载和现实生活两个角度对它进行梳理和比较，能否发现这个节日从古至今经历了怎样的变化？

第十节　令人心向往之的仪式

——解读“社会实践、仪式和节庆活动”之二

小热身

你听说过“仪式感”这个词吗？什么是仪式感？什么时刻会让你觉得有“仪式感”？

在上文已经提到，传统节日往往包含特定的仪式、表演和手工技艺等内容；反过来说，如果没有这些特定的内涵，我们恐怕很难理解每个节日究竟意味何在。试想，一个节日如果只有吃吃、喝喝、买买，那该多么让人兴味索然。即便有这样的节日，它应该早已或正在从历史的长河中消逝。

事实上，在人类的各种实践活动中，仪式大概是最早而又最意味深长的一种了，历史上许多文明古国的传统节日和庆典，其最初形态几乎都是以仪式为中心的。在古埃及，有一位影响深远、声名远播的神，名叫奥西里斯（Osiris）。他是所有复活之神的原型，被认为具有战胜死亡、复活生命的能力，并最终成为冥界的主宰。每年尼罗河水泛滥季节的第四个月下旬，人们会举行大规模的奥西里斯节庆祝仪式。人们把奥西里斯的神像放进墓穴，同时取走上一年放进去的神像。在节日的一开始，人们要举行一个开耕和播种典礼，与此同时，主持仪式的祭司诵吟“播种”仪式颂词。人们把沙子和麦种放进一个被称为“奥西里斯苗圃”的大瓦罐中，并从尼罗河汲来新水浇灌它，让大麦生根发芽。这个仪式象征着奥西里斯的死而复活，也展现了生命的死亡和复活，以及生长于大地上的庄稼的死亡和复活。传说奥西里斯的遗体被埋葬在阿拜多斯（Abydos），此地每年都要演绎奥西里斯受难、死亡和复活的全过程——这项表演也成为人类最早的戏剧之一。

古希腊语把仪式称为 dromenon，意谓“所为之事”。这个字眼意味深长，它表明希腊人已经认识到，要举行一种仪式，你必须做一些事情，也就是说，

你必须不止是在内心里想象，而且还要用动作把它表现出来，或者用心理学的术语讲。当你体验到一种刺激，不应仅仅是被动地体验，还要对它有所反应。也就是说，仪式是实际的作为，是模仿性的舞蹈，或者其他诸如此类的活动。一个水手在扬帆起航前，如果需要风，他就会呼唤风；一个部落在准备出发去打仗之前，他们会跳起战争舞蹈鼓舞士气、激发斗志；在准备出猎之前，则会表演捕捉猎物的狩猎哑剧。尽管这些未必都是严格意义上的仪式，但它们都强调人性的实践性、能动性和实干的方面。

桑科蒙集体捕鱼仪式（马里），
2009 年列入急需保护的非物质文化遗产名录

每年农历七月的第二个星期四，马里塞古区桑镇都会举行桑科蒙集体捕鱼仪式，以纪念该镇的成立。仪式开始时，村民们杀鸡、杀羊，准备供品，以祭拜桑科湖的水神。随后，人们用网眼大小不等的渔网开始集体捕鱼，持续时间超过 15 个小时。紧接着，是 Buwa 舞者表演的假面舞，来自桑镇及周边村庄的舞者身着传统服饰，头戴镶有海贝和羽毛的帽子，聚集在公共广场，伴随各式各样的鼓敲出的节奏翩翩起舞。传统意义上，桑科蒙仪式标志着雨季的开始。

从这个案例中，可以看出仪式的一个重要性在于它的集体性，它是由若干有着相同情绪体验的人们共同做出的行为。一个人独自捕鱼算不上仪式，但是，一群人在同一种情绪的影响下集体捕鱼，却常常演变为一场仪式。桑科蒙集体捕鱼仪式借渔业和水资源领域的艺术、工艺、知识和专有技术，表现了当地的文化。它加强了当地社区的各种共有价值观，如社会凝聚力、团结与和平。近年来，参与这一仪式的居民不断减少，该传统的存续受到威胁。2009 年，它被列入联合国急需保护的非物质文化遗产名录。

很多历史悠久的戏剧、歌舞、表演艺术、手工技艺甚至饮食，其源头都可以追溯到古老的仪式。准确地说，它们在产生之初可能就是为了展现或预演某个仪式，从而表达某种强烈的情感、信仰或祈愿。柬埔寨的“斯贝克托姆”（sbek-

“斯贝克托姆”高棉皮影戏，2005 年被列入人类非物质文化遗产代表作名录

thom）是一种采用整张皮革制作皮影道具为特征的皮影戏，是以印度古代史诗《罗摩衍那》（Ramayana）为主要演出内容的传统高棉皮影戏，流行于真腊吴哥王朝时期（802–1431）。那时，“斯贝克托姆”皮影戏与皇家舞剧、化装舞剧都被认为是神圣的。祭神的表演只在一些特殊时刻举行，一年表演三到四次，如高棉新年、国王生日或敬奉名人。在真腊吴哥王朝衰败后，大皮影戏也随之衰落。直到 20 世纪 90 年代末，才在距离吴哥窟 8 千米的暹粒镇开始恢复演出，但它已经演化为一种保留着仪式规范的典礼性艺术形式。大皮影戏一般在民间的各种传统仪式上演出，如求雨仪式、为寺院主持或父母及社会名人祝寿、拜火神仪式、纪念过世的祖先等。

一旦集体性和强烈的情感成为一个民族记忆的根基，那么这些传统仪式中出现的神灵、英雄、行为、动作、故事等就会展现其独特的文化魅力，甚至跨越地区和国家，成为一个民族基本生活传统和核心文化元素的表达，发挥着凝聚人心的作用。这里我们来讲一个中国海洋女神走向世界的信仰故事——

987 年，福建省莆田市湄洲岛的妈祖因救海难而献身，被该岛百姓立庙祭祀，成为海神。随着航海业的发展和妈祖的影响扩大，历代朝廷封妈祖为天妃、天后、天上圣母。在华人开拓海上丝绸之路的历史过程中，妈祖成为中国影响最大的航海保护神。妈祖信俗是以崇奉和颂扬妈祖的立德、行善、大爱精神为核心，以妈祖宫庙为主要活动场所，以习俗和庙会等为表现形式的民俗文化。除我国外，该信俗还传播至日本、新加坡、印尼、马来西亚、菲律宾、泰国、缅甸、法国、美国等 20 多个国家和地区，为 2 亿多民众所崇拜并传承至今。湄洲岛成为妈祖祖庙所在地。

千余年来，妈祖信仰在历史发展中形成了一套独具自身特色的信仰仪式，包括诞辰庆典、进香、绕境、巡游等。这些信仰仪式，有些是社区内部的，如诞辰庆典、绕境等，社区居民准备供品到庙里祭祀妈祖，聘请剧团演戏酬神，

湄洲妈祖金身巡台时万人空巷场面

并抬出妈祖神像巡视社区。还有些仪式是超社区的，如进香、巡游等。由于湄洲是妈祖信仰的起源地，世界各地的妈祖庙都是经由湄洲祖庙逐层分灵而来的，因此，许多妈祖庙都选择去湄洲进香，或邀请湄洲祖庙的金身到子庙所在地巡游。

1997 年，湄洲妈祖金身巡游中国台湾 102 天，行程一万余里，横跨南北，经过 19 个市县，驻跸 35 个妈祖庙，超过千万人次前往现场顶礼膜拜，轰动海峡两岸。台湾同胞称之为“千年走一回”的世纪之行，当地媒体以“万人空巷”“全城沸腾”“十里长街迎妈祖、火树银花不夜天”等来描述盛大的场面，创下了两岸恢复交流以后，入岛交流时间最长、覆盖区域最广、参与人数最多的纪录，成为两岸交流最重要的里程碑之一。

还有两名移民美国的中国台湾人从台湾云林县北港朝天宫分灵了一尊妈祖金身，奉祀于美国旧金山，命名为美国妈祖庙。1992 年起，美国妈祖每年参加旧金山新游行，并多次参与马里斯维尔北溪庙（Bok Kai）的游神活动。据调查，越来越多的非华裔美国人参与到美国妈祖的游行活动中。这对于消除文化偏见，促进多元文化共处来说，是很有裨益的。妈祖信俗于 2009 年被列入人类非物质文化遗产代表作名录。

人类作为个体是渺小而脆弱的，因此，能够成为仪式的并非个人的和私己的情感，而是公共的情感，也就是由整个部族或社区所共同体验并且公开表现的情感。我们能在这个世界不同民族广泛地看到，不管耕耘、播种，还是狩猎、捕鱼，只要这些事情至关重要，就会成为仪式的素材。除了食物，对人类的生存至关重要的还有一件事情，那就是后代。假如一个族群想延续下去，就必须生育后代。因此，除了上面介绍的那些关于“人与神”之间的仪式，在人类的社会生活中还有着丰富多彩的人生礼仪、生活庆典，它们表现在生育寿诞、婚丧嫁娶、人际交往等活动，我们可以粗略地称之为“人与人”之间的仪式。

比如成年礼，作为生命节点的重要仪式，从远古氏族社会产生，发展到今天的现代大工业高科技时代，仍在全球各地流行。尽管很多早期的庆典和礼仪活动都消失了，但在一些地区特别是非洲的一些部族人群中仍保留有古代留存下来的“成人礼”，坎科冉仪式就是其中的一种。它是塞内加尔和冈比亚的曼丁人地区的一种成年礼，通常在8月和9月举行。相传，坎科冉最初形成于“科莫”，这是一个由猎手组成的秘密社团，他们与众不同的组织方式和行为方式促成了曼丁民族的出现。坎科冉仪式最主要的特征是：受成年礼者带着用树皮和faara树的红根须做成的面具，穿着树叶做成的衣服，用蔬菜浆汁涂画全身。受礼者之所以要如此打扮，是割礼和成年礼仪式的要求，因为坎科冉是秩序的守护者、灵魂的法官和驱魔者。坎科冉仪式有以下几个步骤：挑选出那些将由长者为其戴上面具、穿上行头受成年礼的年轻人；受礼者进入森林；守夜和游行，可能持续数小时；受过成年礼的年轻人在村里游行。坎科冉仪式中始终有受过成年礼的人们的游行队伍伴随，还有数人进行歌舞表演，模仿受礼者的行为。当他挥舞起弯刀，并发出痛苦的哭嚎时，会有一段断续的舞蹈，尾随着他的人们拿着树枝和棕榈树叶子，伴着合唱和桶子鼓打出节奏。

成年礼是年轻人学习集体的行为准则、了解本部族的特性、领会植物的奥妙和医药的价值、并且学习打猎技巧的时机——这种实践在塞内加尔和冈比亚这片土地上，在纯粹的民族传统中，历经沧桑变幻被保存了下来。

说一说

1. 仪式如此古老，为什么我们现代人的生活仍然需要它们？

2. 随着时代的发展和科学技术的进步，你有没有发现新的有意味的仪式呢？

小田野

除了课文中提到的妈祖，你知道还有哪些神灵至今仍对海内外华人有着重要影响吗？和感兴趣的同学一起去做做调查吧。

第二章

中国非物质文化遗产概说

第一节　中国非物质文化遗产保护 ABC

中国是从什么时候开始保护非物质文化遗产的

2005 年 3 月 26 日，国务院办公厅以国办发〔2005〕18 号印发《关于加强我国非物质文化遗产保护工作的意见》，标志着我国全面启动了非物质文化遗产保护工作。

其实，中国自古就有保护非物质文化遗产的传统。为什么这么说呢？大家不妨回忆下，我国文学史上第一部诗歌总集《诗经》是怎么来的？早在西周时期，我国已建立了采诗观风的制度。作为对民间歌谣的记录整理集成，《诗经》在收集、整理和保护传承民族民间文化方面形成的传统，对中华文化的发展有着深远的影响。

20 世纪初的五四时期，中国文化界开始有组织地进行民间文学和民俗文化的搜集、整理、研究工作。较有影响的包括北京大学的“歌谣研究会”，它于 1920 年正式成立，成为五四时期全国搜集和研究民间文学的中心，在中国现代抢救和保存非物质文化遗产的历史上具有里程碑的意义。这个时期做出重要贡献的还包括厦门大学的风俗调查会、杭州民俗学会、中山大学民俗学会等。

超级链接

20 世纪 20–30 年代，上海同样是中国民间文学和民俗学研究的一个重要阵地。20 年代初，上海商务印书馆出版的《妇女杂志》经常刊登民俗学研究文章，还开辟了“民间文学”和“风俗调查”专栏。其他报纸杂志，如叶德钧主编的《草野》杂志出过“风俗专号”，陈望道创办的《太白》半月刊设有风俗志专栏，薛沛韶、李希三主编的《粤风月刊》，谢兴尧主编的《逸经》，也刊有许多民俗学文章。上海还出版了许多民间文学和民俗学书籍。1930 年前后，上海北新书局老板李晓峰以“林兰女士”为名，编辑出版了近 40 种民间故事集，是民间故事方面蔚为壮观的一项重要成果。其中如《徐文长故事》《呆女婿故事》《秀才故事》《八仙的故事》《云中的母亲》等等，到现在还很受读者欢迎。

中华人民共和国成立后，特别是自 1979 年开始的“中国民族民间文艺集成志书”的编撰工作，更是新时期非物质文化遗产抢救和保护工作中令人瞩目的成就。这些都发生在 2003 年联合国教科文组织第 32 届大会通过《保护非物质文化遗产公约》（以下简称《公约》）之前。

因此，对于中国而言，非物质文化遗产既是一个契合了时代潮流的新的保护概念，也是中国人自身对于传统文化保护工作的延续和开拓。

超级链接

中国民族民间文艺集成志书，涵盖了民间文学、民间音乐、民间舞蹈、戏曲、曲艺 5 个艺术门类的 10 个领域，旨在对中国民族民间文艺资源进行全面的普查、搜集、整理、保存、研究。编辑为《中国民间歌曲集成》《中国戏曲音乐集成》《中国民族民间器乐曲集成》《中国曲艺音乐集成》《中国民族民间舞蹈集成》《中国戏曲志》《中国民间故事集成》《中国歌谣集成》《中国谚语集成》《中国曲艺志》10 部大型丛书，共计 298 卷，450 册，5 亿多字，3 万多张图片。成为之后非物质文化遗产普查工作中重要的参考资料。

中国的非物质文化遗产是如何定义的

博物馆里的元青花，奶奶烧的本帮菜，剧场里的沪剧表演，路上小贩的叫卖声，我们在生活中的所见所闻，怎么判断它是不是非遗呢？

中国根据联合国教科文组织《保护非物质文化遗产公约》定义对非物质文化遗产的定义和分类，结合自身非物质文化遗产的现实存在状况和具体保护工作实践，给出了自己的定义。根据《中华人民共和国非物质文化遗产法》规定：非物质文化遗产是指各族人民世代相传并视为其文化遗产组成部分的各种传统文化表现形式，以及与传统文化表现形式相关的实物和场所。包括：

1. 传统口头文学以及作为其载体的语言；
2. 传统美术、书法、音乐、舞蹈、戏剧、曲艺和杂技；
3. 传统技艺、医药和历法；

4. 传统礼仪、节庆等民俗；

5. 传统体育和游艺；

6. 其他非物质文化遗产。

简单地说，什么是非遗？就是传承至今并活在当下的文化习俗和生活实践。这些文化习俗和生活实践本身是悠久的、古老的。但我们今天从另一个新的视角去认识它，将其命名为“非物质文化遗产”。

超级链接

《中华人民共和国非物质文化遗产法》是为了继承和弘扬中华民族优秀传统文化，促进社会主义精神文明建设，加强非物质文化遗产保护、保存工作而制定。由中华人民共和国第十一届全国人民代表大会常务委员会第十九次会议于2011年2月25日通过公布，自2011年6月1日起施行。共有六章45条。

为什么要建立非物质文化遗产代表作名录体系

我们常常看到媒体上介绍某一个项目是“**级非物质文化遗产代表性项目”。非物质文化遗产和非物质文化遗产代表性项目，又是什么关系呢？

我国拥有非物质文化遗产的体量很大，经过资源普查，约有87万项非遗资源。为了更好地保护非物质文化遗产，我国建立了国家、省、市、县四级非物质文化遗产代表作名录体系，将体现各级优秀传统文化、具有重大历史、文化、艺术、科学价值的非物质文化遗产项目列入名录予以保护。这种做法有助于确保非物质文化遗产的可见度，提高对其重要意义的认识，促进对话，从而体现世界文化多样性，并有助于见证人类的创造力，是有效保护我国非遗的重要措施和核心内容之一。

截至2020年8月，我国共有国家级非物质文化遗产代表性项目四批共1 372项，其中，民间文学155项，传统音乐170项，传统舞蹈131项，传统戏剧162项，曲艺127项，传统体育、游艺与杂技82项，传统美术122项，传统技艺241项，传统医药23项，民俗159项。

相应地，国家文化和旅游部共认定了五批3 068名国家级非遗代表性传承人。

问题一：都是国家级的非物质文化遗产代表性项目名录，故宫的传统官式营造技艺和海南黎族的船形屋营造技艺，哪个更有价值呢？

答：非物质文化遗产是人类创造力的表现，其价值在于其自身，非物质文化遗产项目之间没有横向可比性，没有优秀、最好之分，不能做比较性的价值评判。

问题二：上海青浦区的吴歌是民间文学类国家级非遗代表性项目，是不是以后只要保护它的唱词和表达，对其他不属于民间文学范畴的例如曲调、演唱环境、乐队组成等，就不需要保护了呢？

答：对于代表性项目的分类，只是出于工作的需要。认知和保护非物质文化遗产，应该建立多个考量维度，例如表现形式、技艺、实物、场所、知识体系、文化意义、社会功能、当代价值等。

谁是非物质文化遗产的主人

在非物质文化遗产保护领域有很多的主体参与，比如代表性传承人、保护工作者、保护机构、专家、研究机构等。那么谁才是非物质文化遗产的主人呢？

联合国教科文组织《保护非物质文化遗产公约》中，明确指出："承认各社区，尤其是原住民、各群体，有时是个人，在非物质文化遗产的生产、保护、延续和再创造方面，发挥着重要作用。""缔约国在开展保护非物质文化遗产活动时，应努力确保创造、延续和传承这种遗产的社区、群体，有时是个人的最大限度的参与，并吸收他们积极地参与有关的管理。"

所以，我们说，谁创造了这种遗产，谁延续、传承了这种遗产，谁就是这种遗产的主人。这个主人，可能是这个项目的传承人，可能是一个社团，也可能是与整个非物质文化遗产相关的整个社区。并不能因为这个项目列入了某个级别的非物质文化遗产代表性项目，就成为各级政府或是保护机构，甚至是其他一些社会组织的财产。而各级政府、保护机构要做的是，提高这些遗产持有者对其自身非物质文化遗产重要性和价值的认识，邀请他们参与保护管理工作，鼓励他们传承，让他们从中受益，并且通过适当的法律法规保护形式，确保他们的权利得到保护。

如何衡量非物质文化遗产的保护是否有效

我们希望珍贵的非物质文化遗产在保护中能够得到更好的传承，那么是不是保持某种遗产项目形态的不变，就是对它最好的保护呢？

根据《保护非物质文化遗产公约》：“这种非物质文化遗产世代相传，在各社区和群体适应周围环境以及与自然和历史的互动中，被不断地再创造，为这些社区和群体提供认同感和持续感，从而增强对文化多样性和人类创造力的尊重。”

由此，我们可以从四个方面衡量非遗保护的成效：

1. 基本实践方式是否得到保持，实践活动是否持续并富有活力；

2. 社区、群体和个人的再创造权利是否得到尊重，传承人群是否得到保持乃至扩大；

3. 遗产项目与其所依存的环境是否能够产生良好而有效的互动，是否得到民众的广泛认可和欣赏；

4. 基本文化内涵是否得到尊重，具有当代价值的文化精神是否得到弘扬。

特别需要注意的是，当我们在非遗保护领域听到原汁原味传承、原生态传承、确保本真性等提法时，要非常慎重地对待。说非遗的本真性、原真性都是不当用词。一代一代的传承中，何时是本真呢？这不符合《公约》精神。所谓持续感就是“当下＋历史”，要用流动的眼光来看待非遗的动态性和活态性。只要传统还在发展，就不能认为规定某个时间节点的知识和形态是传统的终点。

非物质文化遗产在当代面临的主要问题是什么

既然非物质文化遗产在适应周围环境以及与自然和历史的互动中，能不断地在被创造，那么为什么还需要我们去保护呢？

工业化、城镇化背景下的非遗保护命题，本质上是文化传承如何应对自然和社会环境变化的挑战。

工业化和城镇化的快速发展，人口的快速流动和生产生活方式、居住形态的变化，是我们当前面临的社会大变革。这些变革急剧地改变了很多遗产存续和传承的环境和条件，使得非物质文化遗产本身具有的适应性无法与之抗衡，这也是当前非遗生存发展面临的最大困境。

在这种情况下，如果听之任之，不注重保护遗产，那么很有可能出现歪曲遗产的文化意义和社会功能的做法，会导致遗产遭到损失和破坏，禁锢和扼制遗产持有者的创造性表达权利，也会窒息文化传统的生命力，错失实现创造性转化和创新性发展的宝贵机遇。

超级链接

2006 年 6 月 10 日是我国第一个“文化遗产日”，“中国非物质文化遗产”有了标志。标志外部图形为圆形，象征着“循环，永不消失”；内部图形为方形，与外圆对应，天圆地方，表达“非物质文化遗产存在空间有极大的广阔性”；图形中心造型为古陶最早出现的纹样之一的鱼纹，隐含“文”字。“文”指非物质文化遗产，而鱼生于水，寓意“中国非物质文化遗产源远流长，世代相传”；图形中心，抽象的双手上下共护于“文”字，意取“团结、和谐、细心呵护和保护非物质文化遗产、守护精神家园”的寓意。

说一说

1. 如果学校组织对本地区的非物质文化遗产进行调查研究，在走访传承人群时，你需要注意什么？

关键词：知情权；合作；对话；尊重

2. 观察你身边的传统文化，思考他们面临的困境和挑战是什么？如果是你，你会给出什么样的保护建议呢？

第二节 解读中国“民间文学”类非遗

小热身

你知道中国的“四大传说”吗？它们分别讲了什么故事呢？

民间文学是民众的口头创作，并在民众口头流传，反映人民大众的生活、思想和情感，表现民众的审美观念和艺术情趣，具有民间的艺术特色。题材类型有神话、史诗、传说、故事，以及歌谣、谚语、顺口溜、打油诗、谜语等。口头性是民间文学最核心的特征。与作家文学相比，作家文学是由作家个人独创，且以书面形式创作、以书籍形式传播的文学形式，民间文学在口头创作和传播时，是由民众共同参与的过程，每一次讲述、讲唱或表演都存在着一定程度的再创作。①

民间文学是民众日常生活的一部分

民间文学构成民众日常民俗生活的一部分。如《苗族古歌》在鼓社祭、婚丧活动等酒席上演唱，内容有创世、人类诞生、万物起源、开天辟地、洪水、大迁徙等。上海浦东郊区流传的《上梁歌》，是过去浦东人们建新房时所唱。选定架大梁的日子，那天远近亲友都要来祝贺。架大梁时，泥水匠和木匠师傅唱“当家师傅边上梁边唱：一记敲来金鸡叫，二记敲来凤凰啼……十记敲十全称心”，在一片爆竹声中架好大梁。再如上海浦东新区原南汇地区的“哭嫁歌”、也叫“哭出嫁”，是在女儿出嫁时由母女哭唱的民歌，属出嫁仪式一部分。②像这类在特定仪式（宗教仪式、人生礼仪等）或特定场合（如歌节）才被演唱、演述的民间文学数量很丰富。而像童谣、摇篮曲、山歌、船歌等是传统民间歌谣，是传统社会日常生活中的常见民间文学，内容上除抒发日常生活感情外，也有

① 参考文献：钟敬文 .民间文学概论 [M]. 上海：上海文艺出版社，1980. 黄景春 .民间文学的社会记忆建构，光明日报 [J].2020 (4-13).

② 浦东上梁歌：“当家师傅边上梁边唱：一记敲来金鸡叫，二记敲来凤凰啼。三记敲三星高照，四记敲四季发财。五记敲五子登科，六记敲六路顺风。七记敲七仙下凡，八记敲八仙过海。九记敲九龙抢珠，十记敲十全称心。”张义渔等 .张闻天：乡情 · 亲情 · 友情 [M]. 济南：济南出版社，2001(26-28)；哭出嫁 [M]. 上海：上海文艺出版社，1962(103-111).

传授知识等教育功能的内容。谜语、笑话等则是逢年过节用来活跃家族团聚气氛时的文学样式。因此，民间文学记录包含了极其丰富的传统社会日常生产生活内容，故而被称为是民族文化历史的“活化石”。

民间文学是一种再创作的文学

民间文学是一种再创作的文学，指的是民间文学在世代流传中所发生的内容思想的改写现象。民间文学以口口相传为主要传承形式，传承中演述或演唱人会因为个人记忆、喜好及社会需要等原因对内容进行增减删改，这就是民间文学会有多种版本的原因。民众耳熟能详的各种传说故事，如尧舜禹传说、梁祝传说以及三国故事等在我国不同历史时期、不同地区、不同民族乃至东亚等国家地区都有在内容上有差别的版本。

杨柳青年画《白蛇传》

2006年，《白蛇传传说》[1]由江苏镇江、浙江杭州两地联合申报，入选第一批国家级非物质文化遗产名录。《白蛇传传说》讲述了白娘子与许仙的爱情故事，塑造了白娘子、许仙、法海和小青等人物形象。该传说始于唐代，宋代李昉《太平广记》从《博异志》里选录了一篇传奇《李黄》，故事说的是，李黄偶遇白衣美姝，经其姨青衣老女郎撮合成婚后，回家就重病不起，化作一摊清水。这类精怪化女与人间男子交往题材的故事在东晋干宝《搜神记》中已有数篇。白蛇故事在五代宋元时期流传很广，基本成型于南宋，元代文人将其编成杂剧和话本。明代冯梦龙根据民间传说改编的《白娘子永镇雷峰塔》是现在能看到的白蛇传说比较完整的文本。明清到现当代，民间口头传说与文人参与加工创作，白蛇传传说已经有了故事、歌谣、宝卷、小说、演义、话本、戏曲、弹词，以及电影、电视、动漫、舞蹈、连环画等经典的各种文艺形式。白蛇传传说不仅在国内广为流传，家喻户晓，并传播到周

① 白蛇传传说，2006年第一批国家级非遗项目，保护单位：江苏镇江市非物质文化遗产保护中心，浙江杭州市文化馆。

边的日本、朝鲜、越南、印度等许多国家。一般认为，镇江、杭州是白蛇传说的重要流传地。《白蛇传传说》与《梁祝传说》《孟姜女传说》《牛郎织女传说》被认为是汉民族的四大民间传说。

史诗《格萨（斯）尔》[①] 则是在我国青藏高原地区的藏、蒙、土、裕固、纳西、普米等少数民族中传唱的口头文学，唱述了格萨尔王降临下界后降妖除魔、抑强扶弱、统一各部，最后回归天国的英雄业绩。早在14世纪，已经出现史诗抄本，到目前为止，有确凿记录的史诗说唱文本大约120多部，仅韵文就长达100多万诗行。目前，这部口头史诗的内容仍在不断扩展。《格萨（斯）尔》在世界史诗中演唱篇幅最长，代表着古代藏族、蒙古族民间文化与口头叙事艺术的最高成就。

民间文学是民众的口头百科全书

在历代传承中，民间文学不断被加入新的情节内容和思想情感，形成民间文学的再创作现象。民间文学内容包罗万象，有族群历史的传唱故事，也有不同历史时期劳动人民生产生活经验知识的积累与传承，像各类在农业生产、市商活动中形成的行事指南性的口头谣谚。

沪谚[②]，是我国著名的方言谚语之一，上海浦东陈行的俚俗谚语尤为有名。沪谚不等同于上海谚语，上海谚语包括上海所有地区各历史阶段所流传的谚语，沪谚是上海谚语中积淀最厚实的那一部分。早在20世纪初期，陈行人胡祖德用了数十年时间在乡间收集了大量谚语，1921年编辑出版《沪谚》。此书是我国近代著名的民间谚语集，收录的2 000多条沪谚主要来自陈行地区。其中，收录的并不全是沪谚，还有山歌、谜语、唱本等，内容包括了历代民众生产、生活中积累的经验知识，是口头的百科全书和乡

《沪谚》与《沪谚外编》

① 史诗《格萨（斯）尔》，2006年第一批国家级非遗项目，中国社会科学院《格萨（斯）尔》办公室。
② 沪谚，2011第三批国家级非遗项目，保护单位：上海市闵行区浦江镇文化体育事业发展中心。

土教材，通俗易懂、包罗万象，实用性很强。这些谚语充满了机智、趣味和哲理，表达生动有感染力，是教育后代、说理论事、日常人际交往的常用语言。如传统农业生产相关的谚语："一尺沟不通，万丈沟白送""人老一年，麦熟一夜""八月棉花白蛇精，独怕龙放形""宁愿饿断肚肠，不能吃掉种粮""若要多吃油，菜籽田里放泥鳅"。物象、节气的谚语："八月梨星对大门""狗吃青草天将晴，猫吃青草天必雨""腊雪是被，春雪是鬼；腊雪不烊，种田人饭粮""梅里伏，热来哭"。总结生意经的谚语："死店要活人开""生处好赚钱，熟处好过年""要做生意，勿做朋友；要做朋友，勿做生意""种田人讲节气，生意人讲义气""生意无大小，分厘要粘牢"。以及与饮食、食品有关的谚语："炒虾等不得红""三岁弗吃鸡，到老弗用医""贱卖鱼不如贵买菜"等。

沪谚的作者一般都是普通老百姓，有识字不多的农人，有乡村秀才，还有在过去被称为"吃百家饭"的手艺人如裁缝、泥水木匠，"吃开口饭"民间艺人如宣卷艺人、演皮影的人等。沪谚有独特的价值，它是由广大民众原创的民间文学样式，有指导生产生活的实用价值，也有对孩童进行乡土教育的价值。

民间文学里有关古代科技发明题材的传说故事数量也很丰富，如鲁班说、蔡伦造纸传说等。蔡伦造纸传说[①]起源于东汉早期，蔡伦（63 — 121 年），他在担任尚方令期间，从洛阳到长安，经过子午道至龙亭故县（今陕西省洋县龙亭镇）寻找造纸的原料，实验造纸的方法。元兴元年（105 年）研制发明出用树皮、废麻头、烂渔网及破布为原料的植物纤维纸。蔡伦在龙亭造纸的经历，在当地传播并流传至今。

蔡伦造纸传说主要有五类题材，分别是：攻克技术难关、寻找造纸原料、推广造纸、经营造纸、造纸贸易等类，大部分情节讲述了"挫、捣、炒、焙"等技术环节。科技发明类传说一般是以饶有趣味的虚构情节来讲述严谨实在的科技知识，表达了广大民众对发明创造精神的推崇。

---

① 蔡伦造纸传说，2011 第三批国家级非遗项目，保护单位：陕西省汉中市民间文艺家协会。

民间文学的价值意义

我们要从传统民间文学中学习什么？也就是说民间文学能为我们提供哪些有价值意义的思想或知识，是值得思考的问题？

民间文学是我国传统文化中非常重要的文化资源之一，与文人士大夫的经典著述不同，民间文学是鲜明而直接地反映着广大民众在日常生产生活中形成的宇宙世界观、人生价值观以及道德伦理观等，其中，包含着极其丰富的传统社会生产生活的经验知识和审美判断。祖祖辈辈历代口口相传的民间文学，延续和保存了一个地方、一个族群、一个国家的历史和文化记忆。民间文学是了解民风民俗的重要渠道，先秦时期周王朝已有从民间采集歌谣以便了解民风民情的做法，我国的第一部诗歌总集《诗经》中便收录了许多西周早期的各地民间歌谣。《诗经》分“风”“雅”“颂”三部分，其中“风”“雅”中的歌谣所体现出的现实精神、积极人生态度、对政治对民生的关注等具有很强的教育、感染力量，为历代文人推崇，形成了我国传统诗文的“风雅”精神。

民间文学还是文人文学创作的重要资源，历代文人、作家在创作中汲取民间文学的养分、创作出优秀作品的例子不可胜数，如曹操的乐府诗，白居易的诗歌，明初小说《三国演义》，现代作家鲁迅的小说创作、老舍的话剧创作，当代作家汪曾祺、莫言的小说等，正是民间文学鲜活的生命力促进和激发了文人文学创作。民间文学是民族历史文化的“活化石”，民间文学是人民大众集体创作的文学，民族文化和历史通过祖辈口口相传的传承形式得到延续。

说一说

民间文学与作家文学有什么区别？举例说说。

小试牛刀

和同学合作，选择一则你们喜欢的中国民间故事，自己绘画设计，以“纸戏剧”的形式把故事内容表演出来，与同学分享，来一次“民间故事纸戏剧嘉年华”！

（纸戏剧，一种通过图画展示和表演的讲故事形式，表演者让观众看着画面，而自己看着画片背面的文字讲述，通过抽换画片，推进表演情节。）

趣味拓展

《中国民间故事集成》

《中国民间歌谣集成》

《中国民间谚语集成》

胡祖德：《沪谚》，上海古籍出版社 1989 年版。

顾颉刚：《吴歌、吴歌小史》，江苏古籍出版社 1999 年版。

第三节　解读中国"传统音乐"类非遗

小热身

说一说，在你的脑海中，怎样的音乐是能够代表中国的声音?

在文化与历史的长河中，人类所见所闻所感之物都被有意无意地融入了我们的生活与文化之中，而听觉对应的声音也是如此。从自然界的雨声虫鸣到今日机械运转的声响，从"杭育杭育"的劳动号子到当下的实验音乐，声音在人类的文化中展现出了千变万化的形态。阳春白雪、下里巴人，源远流长的中国文化中也不乏丰富多彩的音乐形式。

传统音乐是传统表演艺术的一部分，是指中国人运用本民族固有方法、采取本民族固有形式创造的、具有本民族固有形态特征的音乐。传统音乐包括"歌"和"曲"两个部分，"歌"是指有歌词的演唱，"曲"是指用乐器景象的演奏。从迄今已知的河南省舞阳县贾湖新石器时代遗址出土的骨笛算起，中国的传统音乐至少已有7 000多年的文明进程和丰厚积累，这些积累延续到近、现代，已形成民歌、乐器和器乐、舞蹈音乐、曲艺音乐(说唱音乐)、戏曲音乐等各大门类。它主要是通过口头创作方式产生和传播，在音乐表现手法、创作风格和艺术特征等方面，均有不同于专业音乐创作的显著特点。这些音乐门类无论在内容和社会功能上，在体裁和结构形式上，在形态和音调特征上，在表演和风格流派上，都呈现出多姿多彩的地域风貌和民族特色，体现着中华民族传统的审美观念。

呼麦是蒙古族人创造的一种神奇的歌唱艺术，演唱时歌手运用特殊的声音技巧，在同一时间唱出两个声部，表现为一个持续低音和它上面流动旋律的结合，形成罕见的多声部演唱形态。呼麦在2006年就被列入我国第一批国家级非物质文化遗产代表性项目名录，它是蒙古族杰出的创造，是一种来自民族记忆深处的久远回音。它传达着蒙古族人民对自然宇宙和世界万物深层的哲学思考和体悟，表达了蒙古民族追求和谐生存发展的理念和健康向上的审美情趣。在当代的诸多音乐类型如摇滚乐、金属乐乃至电子乐中，呼麦这种艺术形式都能巧妙融入，常常有着惊艳的效果。

锣鼓是我国较为常见的民间器乐演奏形式，它分布广泛，在河北、天津、山西、上海、河南、湖北等地都有流传。虽然各地所用乐器不尽相同，但大都以锣、鼓、铙、钹等大音量打击乐器为主，节奏激越鲜明，演出场面壮观，艺术风格以气势磅礴、威武热烈见长，主要在各种民间吉庆、典礼场合演奏，而大锣也曾被西方交响乐引入过。

舟山锣鼓

提到锣鼓艺术，大家总是会用热情豪迈等词语去描述它的风格，而在婉约秀美的江南水乡也同样流传着这类热烈激扬的音乐。锣鼓艺术在江南地区最富有代表性的则是舟山锣鼓和泗泾十锦细锣鼓，两者分别于2006年和2008年被收入国家级非物质文化遗产代表性项目名录。舟山锣鼓旧时大多出现在民间乡里的红白喜事、庙会庆典及渔民祭海等活动中。舟山锣鼓乐器配制齐全，其中，两大主奏乐器分别是由十三面锣组成的排锣和由五面鼓组成的排鼓。其演奏风格独特，音量对比鲜明，音响色彩丰富，其代表曲目有《舟山锣鼓》《八仙序》《渔家乐》《沙调》《潮音》等。舟山锣鼓历史悠久，但定名较晚，1949年后，这一民间音乐形式才在专业音乐工作者的参与和整理下正式定名。

泗泾十锦细锣鼓具有南昆[①]软、糯的艺术特色，文而不武，雅而不闹，柔和而不粗犷，节拍鲜明，节奏感强，表现十分细腻，明显区别于一般锣鼓经。演奏时一人要兼带几件乐器，敲一段锣鼓点板后，再拿起丝竹演奏，交替进行，一专多能。即使是敲锣鼓经，也要求同时掌握几种样式。泗泾十锦细锣鼓更是为古代戏曲和民间音乐的深入研究，包括对某些戏曲音乐原初形态（包括曲牌）、音乐

① 南昆，近现代南方分布的昆曲，以苏州、昆山、南京、扬州、杭州和上海等大中城市为中心，兼及昆曲演唱活跃的地区。

江南丝竹

诸要素配置状况、演唱方式、发声方法等的研究提供了活的范型。

在江南地区，最富有代表性的传统音乐形式可以说是江南丝竹。江南丝竹是流行于江苏南部、浙江西部、上海地区的丝竹音乐的统称，乐队主要由二胡、扬琴、琵琶、三弦、秦琴、笛、箫等丝竹类乐器组成，因此得名，于2006年被列入首批国家级非物质文化遗产代表性项目名录。明万历末，在吴中（苏州地区）形成了新的乐种“弦索”，可算是江南丝竹的前身。它与民俗活动密切结合，有着广泛的群众基础，后正式定名为江南丝竹。江南丝竹传统的技法中有你繁我简、你高我低、加花变奏、嵌挡让路、即兴发挥等手法，并逐步形成“小、细、轻、雅”的风格特色。这种技法和风格包含了人与人之间相互谦让、协调创新等深刻的社会文化内涵。丝竹乐来自民间，植根民间，简便易行，适宜推广，有重要的民俗文化价值。

丝竹乐中所运用的每一种乐器在单独被呈现出来时都是韵味无穷的，而来自异域的琵琶在不同的地域中也变奏出了不同的风味情韵，仅在江南地区，琵琶艺术就衍生出了平湖派、瀛洲古调派等。平湖派琵琶是我国琵琶演奏艺术的主要流派之一，清末民初时主要流播于江、浙、沪一带，以李祖棻[①]为集大成者。1957年，平湖派传人杨少彝[②]到西安音乐学院任教，将平湖派琵琶传入西北。平湖派琵琶力戒华而不实、矫揉造作，而以丰满华丽、坚实淡远的风格著称，演奏时字密声繁、音实韵长。

瀛洲古调派琵琶演奏技艺发源并长期流传于上海市崇明岛，至今已有300多年的历史。如今，崇明瀛洲古调派琵琶演奏技艺已蜚声全国，成为音乐界公认的四大琵琶流派[③]之一。瀛洲古调派琵琶演奏指法要求“捻法疏而劲，轮法密

---

① 李祖棻（约1850—1901），号芳园，浙江平湖人，于清光绪二十一年（1895）整理汇编成《南北派十三套大曲琵琶新谱》。

② 杨少彝（1913—1974），别名全祺、绍義，茌平县杨官屯村人，琵琶演奏家、教育家。

③ 清代中叶之后，南方逐渐形成以无锡派、平湖派、浦东派、崇明派为代表的四大琵琶流派。

而清”，主张“慢而不断，快而不乱，雅正之乐，音不过高，节不可促”，音色细腻柔和，善于表现文静、典雅的情感，显现出闲适、纤巧的意趣。瀛洲古调派琵琶取北派琵琶刚劲雄伟之长，收南派琵琶优美柔和之精，形成隽永淳朴、清新绮丽的特色而不同凡响。

艺术并非总是纯粹只做欣赏之用，艺术是人类情感和精神活动的精粹，它来源于劳动，也从未脱离过劳动。从水乡农耕文化孕育的嘉善田歌到近代上海开埠后渐渐形成的劳动号子，传统音乐从来都不只是被悬置欣赏着的，更是根植于普通人的日常劳动与生活之中。

嘉善民歌习称“田歌”，它原名“山歌”“田山歌”，20 世纪 50 年代初期得到定名。2008 年，嘉善田歌被列入国家级非物质文化遗产代表性项目名录。其曲调共有平调、滴落声、急急歌、落秋歌、羊骚头、嗨罗调、埭头歌等七种。嘉善田歌以七言四句为基础，多用衬字衬词，由此形成独特的杂言和长言句式，词句中每每出现吴音俚语，尤擅长以谐音双关手法取胜。田歌的演唱场合和人数没有固定限制，一般比较自由，但民间“歌班”按规定却需由 3 人、5 人、7 人或 9 人组成，成员分工明确，互不相混。嘉善田歌风格清亮优美，富有江南水乡韵味，是江南地方文化中极具个性色彩的民歌品种。

上海港码头号子则记录了上海开埠到 20 世纪 60 年代 100 多年间码头工人的生存状态，于 2008 年被列入国家级非物质文化遗产代表性项目名录。1870 年以后，伴随着旧上海“远东航运中心”地位的确立和工业城市的发展，上海码头的货物吞吐量急速扩张。在繁重的体力劳动中，码头工人创造了独特的上海港码头号子。工人来自全国各地，因此，号子也分出了不同的流派风格，其中以苏北号子和湖北号子最为普及也最具代表性。

上海港码头工人（资料来源：新民网）

上海港码头号子因所装卸货物、搬运路线及搬运方法的不同而分为四大类九个品种，主要包括搭肩号子、肩运号子、堆装号子、杠棒号子、单抬号子、挑担号子、起重号子、摇车号子、拖车号子等。其节拍变化多样，每一类每一种号子都各具特点。号子演唱者都是男性，因此，音域宽广、嘹亮，尽显阳刚之美。现代著名音乐家聂耳曾在上海港码头与搬运工人一起劳动，在此过程中收集素材创作了脍炙人口的《码头工人歌》。中华人民共和国舞台上的淮剧《海港的早晨》和其后改编的京剧《海港》中，很多音乐和唱段都是吸取上海港码头号子的原生态素材创作的。

在全球化不断推进的今天，文化也不可避免地被裹挟其中，当代流行音乐所展现出的生命与活力是无法抵挡的，却也不免使人类渐渐陷入一种单一的音乐审美模式。而根植于传统文化中的传统音乐，却能够使我们从民族或地域的角度重新发现自身与众不同的色彩。因此，一直以来，风格背景各异的艺术家们都在不断探索传统音乐在当代发展的可能性，中国传统音乐所具备的包容性和发展性在当下也便有了更加深刻的价值。值得一提的是，中国传统音乐从理念上就一直不拒斥外来的文化，“胡琴琵琶与羌笛”本都是外来的艺术精华，但与传统音乐巧妙地融汇了，这种兼容并蓄极大地拓宽了传统音乐的辉煌道路，也使传统音乐能够始终保持繁荣和旺盛的生命力。

说一说

1. 传统音乐对于当前而言是否过时了？为什么？

2. 当今流行音乐有许多借鉴或融入传统音乐的案例，你听过哪些此类作品？你觉得哪些改编是成功的？哪些是你喜欢的？听完改编版后，你是否有兴趣欣赏原版的传统音乐？

小田野

向音乐老师请教，什么是“宫商角徵羽”，什么是中国的传统调式，调式中包含了怎样的中国文化。

第四节 解读中国“传统舞蹈”类非遗

小热身

你见过哪些中国传统舞蹈？你觉得这些舞蹈传达了什么信息？

闻一多在《说舞》中写道：“舞是生命情调最直接、最实质、最强烈、最尖锐、最单纯而又最充足的表现。”舞蹈很早就出现在先人们的生命与生活之中，在距今五六千年前的新石器时代，就已经有了印着舞蹈纹的陶盆了。“手之舞之，足之蹈之”，从传说中的乐舞到当今的现代舞，人们始终对这种生动的表达方式情有独钟。

中华民族的传统舞蹈，指在人民群众中广泛流传，具有鲜明的民族风格和地方特色的舞蹈形式，是创作于民间而又长期流传于民间并为广大人民群众所喜闻乐见的肢体艺术。传统舞蹈产生于人民的劳动和生活，由于各民族、各地区人民的生活、历史、风俗习惯以及自然条件的不同，形成舞蹈风格和特色的明显差异。①

传统舞蹈寄托着民众的感情与趣味、理想与愿望，内容广泛，主题丰富。有对日常劳动生活的摹写，有对民族历史和传说的演绎，有对爱情的讴歌，有对丰收、婚礼的欢庆等，散发着生活的气息和泥土的芳香。传统舞蹈表演形式灵活多样，常用于礼仪活动和节庆活动之中。其动作往往经过了历代的传播与加工完善，形成极具民族和地域特色的表演风格，成为特定民族、特定地域民众性格气质的典型反映。传统舞蹈种类丰富，形式多样，一般包括娱乐舞蹈、民俗舞蹈、宗教舞蹈、祭祀舞蹈、礼仪舞蹈等。传统舞蹈的动作也是千姿百态，各具民族及地方特色，有些惟妙惟肖地模仿自然界的各类生灵，有些还吸收了武术、杂技等其他艺术形式的精妙。

① 何新.中外文化知识辞典[M].哈尔滨:黑龙江人民出版社,1989.

各个民族的舞蹈总是会与庆祝活动相关，从北至南，由东到西，在中华大地上使用舞蹈来表达内心的喜悦和对未来生活的愿景似乎是一种各民族、各地区共通的方式，不管是西藏地区的锅庄舞还是广东地区的龙舞，都是当地节庆时期一抹必不可少的亮色。

锅庄舞

锅庄舞，又称为“果卓”“歌庄”“卓”等，藏语意为圆圈歌舞，是藏族三大民间舞蹈之一。锅庄舞也有着规模和功能方面的区分，“大锅庄”用于大型宗教祭祀活动，“中锅庄”用于民间传统节日，“小锅庄”则用于亲朋聚会等。每逢节日、庆典、婚嫁喜庆之时，藏族的人民总会身着传统民族服饰，跳起锅庄舞。跳舞时，男女各站一边，拉手成圈，分班唱和，男性动作幅度很大，伸展双臂犹如雄鹰盘旋奋飞；女性动作幅度较小，点步转圈有如凤凰摇翅飞舞，显现出健美、明快、活泼的特点。舞圈中央通常置青稞酒、哈达，舞毕由长者或组织者敬献美酒、哈达，兄弟姐妹情谊藉此得到升华。锅庄舞于2006年被列入国家级非物质文化遗产代表性项目名录，体现了藏族人民对生活的热爱，对美好的向往，也展现出藏族独特的豪迈热情与力量之美。

广东地区的“跳花棚”同样和节日庆祝广泛地相连。跳花棚俗称“跳棚”，流传于广东省化州地区，是民间“傩祭”活动中的舞蹈。每当秋收后，村民便在草坪、土地庙或祖庙前搭棚准备傩祭。在举行跳棚傩祭活动前4天，在傩舞老艺人的带领、指导下，先在村中挑选16周岁以上的男子集中教练吟唱和舞蹈。表演时，表演者戴上用樟木雕成的面具，按“科本”上棚表演，边舞蹈边吟唱，以及祈求神灵保佑风调雨顺、物阜民安、五谷丰登等。跳花棚这一舞蹈形式具有深刻的审美价值和文化价值，在2011年被列入国家级非物质文化遗产代表性项目名录。

风俗习惯和艺术类型都是不断流动变换的，不同地区的人民对美好的期盼却是类似的，因此，在不同的地区，也会流传这相似的舞蹈类型，但因为生活习惯、风土人情的不同因而又各具地方特色，如龙舞就在全国多地都有流传，龙舞也称“舞龙”，民间又叫“耍龙”“耍龙灯”“舞龙灯”，舞龙寄托的心愿或许类似，但形式风格各有千秋。

以长三角地区为例，龙舞在江苏、浙江、上海等地均有分布但又各具特色。江苏南京地区最富有代表性的便是骆山大龙，由于独特的地理环境和风土民俗，骆山大龙在形式上就与众不同，首先，骆山大龙龙身巨大，长近百米，号称“江南第一龙”。其次，大龙无龙尾。传说明代进士杨培庵避雨庙中，偶遇一条受到惩罚的小白龙，他见龙尾已断，心生怜悯，将其携归家乡，从此骆山村便有了舞龙的习俗，骆山大龙就是仿断尾的小白龙扎制。最后，骆山大龙的表演环节较多。参与人数也较多，表演分工明确，大龙舞起来蜿蜒曲折、上下起伏，无论白天夜晚都要在龙身里点蜡烛，表演者达到 500 人，分别承担掌旗、掌灯、吹喇叭、舞龙、跳珠、跳云等工作。舞龙活动一般和年节活动一起进行，一般从头年的腊月二十四开始，至来年正月十八结束，展现了当地人民在年关节日里的喜悦和期待。

舞龙

在浙江兰溪，龙又有了新模样，兰溪地区的龙舞最大的特征便是龙的头身分离，也被称为兰溪断头龙。断头龙是流传于浙江省兰溪市水亭畲族乡的一种民间龙舞。传说唐代贞观年间连年大旱，龙王为拯救凡间百姓，违背玉帝旨意连降大雨，获罪被斩，身首分离。兰溪百姓感于龙王救命之恩，特制成断头龙，春节期间沿街而舞以示纪念。断头龙由龙珠、龙头和 7 节龙身组成。龙头和龙珠可单独表演出多套高难度的技巧动作，龙身每换一个阵图，龙头和龙珠就舞出一个套路。龙头、龙珠和龙身中也可燃点红烛，夜间起舞时光影交错。兰溪断头龙承载的不只是对丰收吉祥的祝福，更表达了百姓对龙王恩德的浓厚深情。

在龙舞中，根据龙的造型有布龙、纱龙、纸龙、草龙、钱龙、竹龙、棕龙、板凳龙、百叶龙、荷花龙、火龙、鸡毛龙等。在上海松江地区，最负盛名的就是舞草龙。草龙求雨是上海市松江区叶榭镇的古老习俗。相传唐代这里曾遇到一场旱灾，而八仙中的韩湘子便是此地人，为解家乡危难，韩湘子便召来东海青龙普降大雨。此后，乡民每年都以金黄色稻草扎成牛头、虎口、鹿角、蛇身、鹰爪、凤尾的四丈四节草龙，以祈风调雨顺。在传承过程中，逐渐形成了草龙舞、滚灯舞、水族舞等民俗舞蹈。

舞草龙是一种群体性的祭祀活动，与骆山大龙和兰溪断头龙在年关进行不同，舞草龙在每年农历的五月十三、九月十三当地关帝庙会时举行。活动包括“祷告”“行云”“求雨”“取水”“降雨”“滚龙”“返宫”7个环节，仪式过程中供奉象征韩湘子的“神箫”和“青龙王”牌位，摆上陈稻谷、麦、豆、浜瓜、鲤鱼等供品以表感恩之情。表演中，舞龙的人充分运用手（甩、摆、翻）、眼（望、顾、盼）、身（转、仰、扭）、步（踩、蹲、蹉）四法，全队配合，箫龙合一。演到“降雨”段式时，8名村姑边跳欢快的“丰收舞”步，边将手中盆、桶之水不断泼向观众，称为“泼龙水”。泼到龙水即为吉利，故而观灯者纷纷争着让村姑泼水，将草龙舞推向高潮。

在上海浦东地区，同样有着极富特色的龙舞形式，被称作为“绕龙灯”。绕龙灯是旧时上海浦东民众对舞龙活动的俗称，多出现在节日喜庆和求雨、禳灾、酬神、祈平安等民间祭祀活动中。当地的舞龙队伍主要分布在各村镇、氏族及一些行帮中，最负盛名的要数三林镇一批“挑行口”帮（搬运、装卸工人）组成的舞龙队。相比其他龙舞形式，绕龙灯具有强烈的近代都市色彩，讲究艺术性和观赏性。浦东绕龙灯将舞蹈艺术的肢体语言、戏曲的步法亮相、武术的精气神韵等融入舞龙的技巧中，表现了祥和、喜庆、欢乐、昂扬之美。无论是参与者还是观赏者，在这样壮观的场景下，都会感到愉悦欣喜。浦东绕龙灯作为上海传统文化的有机组成部分，也是当地百姓在节日期间的一种风尚习俗和重要的娱乐、审美方式。

骆山大龙、兰溪断头龙和舞草龙都在2008年被列入国家级非物质文化遗产代表性项目名录，浦东的绕龙灯则在2011年被收录。

在上海地区，舞草龙在传承的过程中也并非是凝固的，更是渐渐派生出滚灯舞等舞蹈样式。滚灯同样是一种在各地都流传广泛的民间舞蹈形式，在上海地区则以奉贤滚灯为代表。每逢奉贤各镇灯会、节庆或者庆丰收、贺高升之日，庆贺活动都以舞滚灯为荣。奉贤滚灯以12根毛竹片条扎制，分大、中、小三种规格。

灯体主要由外球和内球两部分组成，内球固定在外球体中心，内装蜡烛，大球体还装有一只铁转销。以红布包裹内球的灯称为“文灯”，黑布包裹内球的则称为“武灯”。奉贤滚灯的各种动作套路，经过好几代人的创造发展形成了自己独特的表演风格，传统大灯有缠腰、白鹤生蛋、鲤鱼卷水草等，集中跳、爬、窜、转、旋、腾、跃、甩等多种人体肢体语言；中滚灯和小滚灯也有各自不同的代表动作，各种套路组合成了各种形态的民间滚灯舞。滚灯表演以锣鼓伴奏，服饰以民间戏服为主，扮演兵士者着短打服装。奉贤滚灯的传统表演手法既是艺术形象的体现，又是历代劳动人民期盼美好的意愿象征，体现了中华民族淳朴的民族精神。

时至今日，尽管各类异彩纷呈的舞蹈形式与我们的文化不断碰撞，但传统舞蹈在我们的生活中依然有着极为重要的价值与意义，在各类节庆活动中，传统舞蹈依然是不可或缺的成分。中华民族的文化是丰富包容的，而多姿多彩的传统舞蹈便是中华文化的载体之一，在肢体与节奏旋律的配合中，不同地区、不同民族的文化和艺术内蕴在其中被抽象却又直接地呈现出来。同时，借由民族舞蹈被展现出来并非只有各式各样的动作，编织这些动作的正是各种集体或个人的情愫。因此，传统舞蹈在当代所能承担的更有各民族绵亘共通的情感，其中包蕴一种久远的情感，即便在当代也能唤起一种集体记忆。但就形式而言，传统舞蹈本身更具有一种超越时空的美，一方面，为当代舞蹈及其他艺术形式提供着灵感和素材；另一方面，所展现出的中华民族的传统美学观念在当今这个民族文化复兴的时代也是有着深刻影响的。

小田野

从下列民族中选择一个民族，了解他们的传统舞蹈，看看这些舞蹈分别包含着怎样的文化密码，与该民族文化有着怎样的联系，并与同学分享。

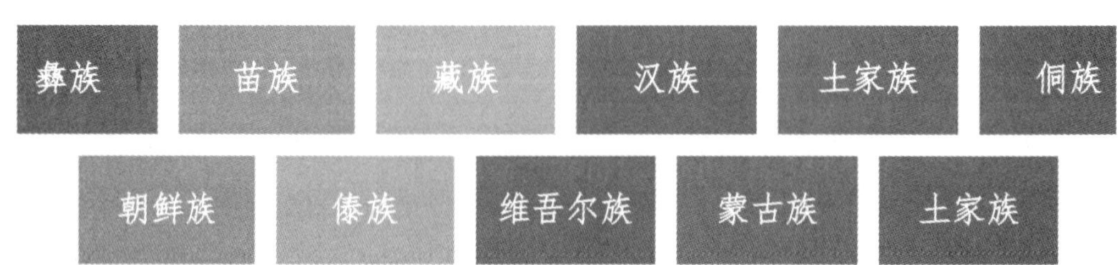

第五节 解读中国“传统戏剧”类非遗

小热身

你看过戏吗？听说过哪些戏剧故事？

传统戏剧指的是中国各地域、各民族人民创造的传统戏曲艺术，综合了文学、音乐、舞蹈、绘画、雕塑、杂技、武术等元素，表演讲究唱、念、做、打，具有很强的虚拟性、程式性与技术性，角色行当主要分为“生、旦、净、丑”等几种类型。

中国传统戏曲的起源可追溯到原始时代的歌舞，经过汉、唐，直到宋、金才形成比较完整的戏曲艺术形态。南宋时，温州一带产生的南戏，一般认为是中国传统戏曲最早的成熟形式；宋末元初，中国北方形成了元杂剧，演唱北曲，形成中国戏曲发展中创作与演出的繁盛时期；经过元、明、清交融交汇的艺术演变，由于方言、音乐的差别，在各地演变为形形色色的声腔和剧种。也有一些剧种在民间歌舞、说唱、少数民族歌舞说唱的基础上发展而来。中国传统戏曲剧种丰富，据 20 世纪 50 年代中期的统计，中国存在着 360 多个戏曲剧种。截至目前，进入“国家级非物质文化名录”的剧种共 162 项。①

京剧、昆曲、越剧是中国戏曲史上较为著名的大型传统戏曲艺术，也是第一批（2006 年）进入国家级非物质文化遗产代表性项目名录的剧种。

京剧，历史上又称京戏、平剧等，是中国影响最大的戏曲剧种之一，分布地以北京为中心，遍及全国，天津和上海也是主要的演出中心。清代乾隆五十五年起，原在南方演出的三庆、四喜、春台、和春四大徽班陆续进入北京，他们与来自湖北的汉调艺人合作，同时接受了昆曲、秦腔的部分剧目、曲调和表演方法，又吸

① 其中，进入第一批《国家级非物质文化遗产代表性项目名录》（以下简称“国家级项目”，第一批国家级项目公布时间为 2006 年）的传统戏剧剧种共 92 项，进入第二批国家级项目（2008 年）的共 46 项，进入第三批国家级项目（2015 年）的共 19 项，进入第四批国家级项目（2014 年）的共 5 项。

收了一些地方民间曲调，通过不断的交流、融合，最终形成京剧。京剧之名始见于清光绪二年（1876年）的《申报》。

京剧《三岔口》

在音乐、表演、舞台美术、文学等各个方面，京剧都有一套规范化的艺术表现程式。京剧以二黄、西皮为主要声腔。角色行当大体分为生、旦、净、丑四行，各行当内部还有更细的划分，如旦行就有青衣、花旦、刀马旦、武旦、老旦之分。行当划分的依据除人物的自然属性外，更主要的是人物的性格特征和创作者对人物的褒贬态度。在表演艺术方面，京剧继承、发扬了中国戏曲传统，以唱、念、做、打为主要艺术手段，逐渐形成了一套完整的表演体系。京剧传统的演出道具、服装、化妆以及舞台布置往往具有象征性和装饰性，有助于表演。在化妆方面，最有特色的要数脸谱，京剧脸谱以浓墨重彩来勾画面部的眉毛、眼窝、鼻窝、嘴角、脸纹，形成五颜六色的各种图案，“公忠者雕以正貌，奸邪者赋以丑型”。

京剧以历史故事为主要演出内容，传统剧目约有 1 300 多个，常演的在三四百个以上，其中,《宇宙锋》《玉堂春》《长坂坡》《群英会》《打渔杀家》《空城计》《贵妃醉酒》《三岔口》《野猪林》《二进宫》《拾玉镯》《挑华车》《四进士》《搜孤救孤》《霸王别姬》《四郎探母》等剧家喻户晓，为广大观众所熟知。

京剧不仅有“国剧”之称，还传播到了海外，成为介绍、传播中国传统文化的重要手段。以演员梅兰芳命名的京剧表演体系，已经被视为东方戏剧表演体系的代表，与斯坦尼斯拉夫斯基及布莱希特表演体系并称为世界三大表演体系。2010 年，京剧入选联合国教科文组织《人类非物质文化遗产代表作名录》。

昆曲，又称昆腔、昆剧，源于“昆山腔”，主要流布于江苏、浙江、上海、北京、湖南等地，是中国现存的传统戏曲中最古老的剧种之一。元末明初，昆山腔即在江苏昆山一带流传。嘉靖、隆庆年间，经过魏良辅等人的革新，昆山腔吸收了北曲及海盐腔、弋阳腔和江南民间小曲等多种艺术成分，形成委婉细腻、流丽悠长的“水磨调”风格，革新后的昆山腔为昆曲的流行奠定了基础。

昆曲是一种高度文人化的艺术，明清许多从事昆曲剧目创作的剧作家都取得了很高的文学成就。《琵琶记》《牡丹亭》《长生殿》《鸣凤记》《玉簪记》《红梨记》《水浒记》《烂柯山》《十五贯》等都是昆曲的代表性剧目。清代中叶以后，昆曲主要以折子戏的形式演出，至今保留下来的昆曲折子戏有 400 多出。除此之外，昆曲也有一些新编剧目，如《南唐遗事》《偶人记》《司马相如》《班昭》等。

经过长期的舞台实践，昆曲在表演艺术上达到了很高的成就，歌、舞、介、白等表演手段高度综合。各个昆曲支派有各自的角色门类，各行角色在表演中也形成一定的程序和技巧，对京剧及其他地方剧种的形成和发展产生了重要影响。昆曲高度反映了中国传统戏曲艺术的人文内涵与完整的表演体系，被称为“百戏之祖，百戏之师”。2001 年，昆曲入选联合国教科文组织《人类口头和非物质遗产代表作》名单。

越剧，浙江省地方戏曲剧种之一，流行于浙江、上海、江苏、北京、天津、安徽、福建、江西、湖北、四川、山西、宁夏、甘肃等许多省、市、地区。它发源于浙江省绍兴地区嵊县一带，清末在曲艺“落地唱书”的基础上吸收余姚滩簧、绍剧等曲种、剧种的剧目、曲调、表演艺术而初步成型，当时称为“小歌班”或“的笃班”。1916 年，进入上海时称为“绍兴文戏”；1930 年以后，又发展成为全部由女演员演出的“女子绍兴文戏”；1938 年，改称越剧。

越剧是一个晚出的剧种，它善于博采众长，为我所用。越剧唱腔属板腔体，早期曲调单一，有民歌小调性质，后来吸收其他剧种、曲种音乐，逐渐丰富起来。越剧曲调清悠婉转，优美动听，长于抒情，经长期发展，越剧形成主腔：四工腔、尺调腔和弦下腔，以尺调腔最能代表越剧的风格。越剧早期表演较为简单，后来搬用其他剧种的动作程式，又从生活中提炼出一些基本动作。1942 年，在越剧演员袁雪芬等的倡导下，越剧，一方面，吸收话剧、电影的表演方

越剧《梁山伯与祝英台》

法，真实、细致地刻画人物的性格和心理活动；另一方面，学习昆曲、京剧优美的舞蹈身段和表演程式，使外部动作更细致、更具节奏感。这两方面有机结合，形成了越剧表演写意与写实相结合的独特艺术风格。

20 世纪 40 年代，越剧形成了不同的艺术流派，公认的艺术流派有 6 个：袁雪芬的“袁派”，唱腔淳朴委婉，表演端庄沉静；傅全香的“傅派”，唱腔跳跃跌宕，表演活泼多姿；戚雅仙的“戚派”，唱腔迂回沉郁，多爱展现悲剧形象；范瑞娟的“范派”，唱腔质朴醇厚，富有男性美，擅长塑造耿直憨厚的男子形象；徐玉兰的“徐派”，唱腔华丽奔放，表演充满活力，擅长塑造书生才子。

越剧有不少耳熟能详的优秀剧目，其中，较具代表性的有《梁山伯与祝英台》《红楼梦》《祥林嫂》《西厢记》《追鱼》《情探》《盘夫索夫》《柳毅传书》《碧玉簪》《三看御妹》《打金枝》《玉堂春》《琵琶记》《孔雀东南飞》等。

沪剧，上海地方戏曲剧种之一，属江、浙、长江三角洲吴语地区滩簧系统，主要流布于上海、江苏南部及浙江杭、嘉、湖地区。

沪剧形成于晚清时期的上海，源自太湖流域的吴淞江及黄浦江一带农村中的“小山歌”，在长期流传过程中受到弹词及其他民间说唱艺术的影响，渐渐演变为说唱形式的滩簧调。至清道光年间，已有上手（男角）、下手（女角，但由男子装扮）操胡琴，击响板，自奏自唱的“对子戏”；后又发展成由三个以上的演员装扮人物，另设专人操乐器伴奏的“同场戏”。为区别于当时在上海地区演出的其他滩簧，又称作本地滩簧，简名“本滩”。辛亥革命前后，本滩进入游艺场。1914 年，本滩艺人施兰亭、胡锡昌、邵文滨等发起组织“振新集”，从事本滩改良。1920 年，邵文滨改剧种名为“申曲”，为同行接受并普遍沿用。1941 年，上海沪剧社成立，“申曲”正式改名为“沪剧”。1953 年，第一个国家沪剧演出团体上海人民沪剧团（上海沪剧院前身）成立。

在上海土生土长的沪剧，富有表现现代生活的能力，音乐比较柔和、优美。主要唱腔有长腔长板、三角板、赋子板等，曲调优美，富有江南乡土气息，擅长表现现代生活。围绕不同的唱腔，还出现了不同流派的代表性人物，如 20 世纪 30 年代的王筱新、施春轩、筱月珍、杨月英、邵文滨，40 年代的石筱英、解洪元、邵滨孙、杨飞飞、丁是娥、王盘声等。沪剧演出剧目丰富，既有《庵堂相会》

《杨乃武小白菜》《珍珠塔》《孟丽君》《双珠凤》等传统剧目，又有《秋海棠》《家》《雷雨》《罗汉钱》等现代题材剧目。

200多年来，沪剧的发展始终和上海社会、人文、经济变化紧密相连，以独特的文化载体记录着上海这座国际化大都市的形成、发展和繁荣的历史，其作为上海地域文化最具代表性的剧种，是一份中国戏剧弥足珍贵的艺术遗产。2006年，沪剧入选第一批国家级非物质文化遗产代表性项目名录。

在传统戏剧生存环境发生巨变的当今，这些戏剧始终保持着鲜活的生命力，对当代社会的发展有着独特的价值。首先，中国传统戏剧剧种丰富，各有其艺术特色，表演方式和所反映的内容都具有很强的民族性，是中国传统文化的重要表现形式，戏剧中所运用的多种艺术元素也是中国传统文化的象征符号；其次，传统戏剧内涵上多与民众的爱国情操、道德伦理、人生理想的孕育与成长密切相关，对社会主义精神文明建设有一定的积极意义；再次，传统戏剧往往具有显著的地域特征，一定程度上顺应和维系着地方民众的情感诉求，更容易唤起民众对乡音、乡情的认同感，进而成为当地民众集体记忆的重要组成部分。

说一说

中国传统戏剧与意大利歌剧，在艺术上有高低之分吗？为什么？

小试牛刀

从下列传统戏剧的剧目中，选择一项，了解戏剧故事的内容，观摩戏剧表演，与同学分享你观察到的程式化表演。

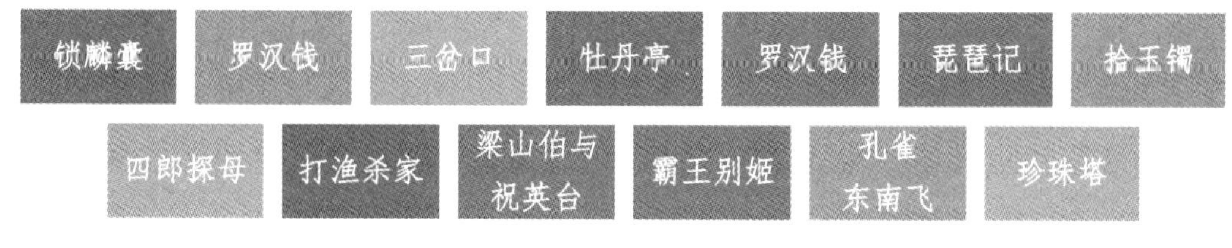

趣味拓展

苏州戏曲博物馆

地址：苏州市张家巷14号

上海京剧院

地址：徐汇区天钥桥路1198号

第六节 解读中国“曲艺”类非遗

小热身

提起说唱，你想到的艺术形式是什么？

近年来，一种小众的音乐形式，因为一档热门综艺，突然在青年人的朋友圈中广受关注。说唱（Rap），这种20世纪70年代起源于美国黑人社区的音乐形式，以其强烈的节奏感，和说话时的音乐性及韵律感，吸引了一众年轻的粉丝。然而，若是将这种新鲜的民间音乐形式，放入世界民俗文化的视野中观察，我们却不得不承认，这种半文半韵，说唱结合的艺术表现形式，在任何一个民族的传统艺术形式中，都不鲜见。在人类还未出现文字，以及识字率有限的古代，背诵与记忆始终是人们传递知识，储存智慧的重要手段，这也使得朗朗上口的韵文以及富有音乐性、节奏感的歌谣、成为古代最主要的文学形式之一。同时，在民间文艺中，这些韵文常常由民间艺人给其他民众现场表演，为人们提供娱乐活动。因此，在表演的过程中，不仅需要艺人唱词准确，唱腔优美，还必须根据现场的不同情况，现编现演，在唱段之间的念白中间插入各种笑话，以获得最大的娱乐效果。这样看来，那些穿越历史，回响于酒楼茶馆、田间地头，带着南腔北调、各色乡音的说唱艺术，“free style”俯拾皆是。

中国民间的说唱艺术，又被总括为曲艺，是一种由民间文学和歌唱艺术经过长期发展融合而形成的独特的表演艺术形式。中国曲艺的历史非常悠久，早在先秦时期就已萌芽。到了唐代，说唱艺术逐渐发展成为一种独立艺术样式；宋代，社会上已经出现了专门用于表演说唱的场所和职业的说唱艺人；自明清时期一直到民国初年，曲艺在艺术上又有了巨大的发展，名家辈出，新作不断，一大批地方说唱曲种也纷纷涌现，流派纷呈，一派繁荣。

曲艺艺术通常由一至两名艺人进行演出，形式小巧灵活，艺人在演出过程中一人分饰多角，亦说亦唱，语言通俗，富有趣味。根据表演形式中说与唱的成分比例，曲艺又可以细分为四部：“说”“唱”“半说半唱”以及“似说似唱”。其中，有些曲种广为全国人民所知晓，譬如“说”部里的相声、评书、评话等；“唱”部中的京韵大鼓、单弦牌子曲、东北大鼓等；“半说半唱”里的琴书、弹词、东北二人转等；“似说似唱”，虽说名字听来难以捉摸，但其表演形式却最广为人知，如快板、快书等，也就是各种“韵诵体”的曲种，常常出现在各类联欢表演中的“三句半”就属于这一类。

“三句半”通常需要 4 个人表演，表演中使用鼓、小锣、小镲以及大锣 4 种打击乐器，4 人各持一件。敲一下，说一句唱词。唱词以四句韵文为一段，三句长，一句短。形式简便，表演难度较低，适合初涉足曲艺的爱好者，上手迅速，甚至可以尝试自己创作唱词。但是，看似简单的“三句半”其实也有学问，不只要求一、二、四句都在一个韵脚里，还有一个最关键的部分，就是那个“半”。通常，最后半句用一个字、两个字、三个字的都有，表演的彩头全靠最后这几个字。不但要押韵，在语意上还要既合乎逻辑又出人意表，简短有力，一击即中，让人开怀大笑。譬如针对网络购物，可以创作唱词说：“要说折扣真不少，东拼西凑省一毛，别拿零钱不当宝，走着瞧！”诸如此类的句子，只要找到合适的韵脚，便可趣味横生，平凡中却呈现出中国民间说唱艺术的几项基本特点，配器简单，语言通俗、朗朗上口，极富趣味性。

当然，中国民间的说唱艺术中，并非完全以韵文为主，譬如大家十分熟悉的相声，被归在“说”部中，其四门功课“说、学、逗、唱”中，只有唱太平歌词一项牵涉到用韵与音乐，其余三门功课基本以对话、模仿或者自问自答为主要表演手段。演员或独立表演，或一唱一和，将一个又一个出人意料又卓有趣味的包袱抛出，引人发笑，因此，往往又被直接地称为“语言艺术”。

相声

清朝咸丰、同治年间，诞生

于北京的相声艺术，表演中所使用的语言，自然地以北方口音为基础，表演时演员若是能够熟练地说一口京片儿，或者带有天津口音，能够极好地表现相声表演的韵味。中华人民共和国成立以后，随着以北方口音为基础的普通话在全国迅速普及，相声表演艺术也随之获得了全国性的广泛声誉，如《夸住宅》《白事会》《满汉全席》《关公战秦琼》《戏剧杂谈》《打灯谜》等，更曾闾巷皆知，成为整整几代人共同的娱乐记忆。

而诞生于清末的上海独角戏，使用的则是上海、杭州方言，是一种使用方言的说唱艺术形式。与相声可分为单人表演的单口相声与双人表演的对口相声类似，独角戏虽云“独角”，在发展的过程中，实际是融入了其他说唱艺术的表演特点，既有一个人表演的“单卖口”，也有双人表演的“双卖口”；甚至吸收了戏剧的某些特点，发展出了新的表演形式“说时串渔”，也称“彩扮”。演员简单化装后以人物身份出现，常常一人多角，跳进跳出，随时改扮变换身份，表演轻松自由，喜剧性强。

无论是相声的“说学逗唱”还是独角戏的“说学做唱”，虽说都有“唱”功的要求，但并非该艺术形式中最具有代表性的部分。譬如相声中的“太平歌词”，或者独角戏中的地方小调，其中，虽然不乏广为人知的名段，譬如袁一灵先生经久不衰的保留曲目《金陵塔》，其呈现的也只是四门功课之一。而在以“唱”为主的传统曲艺形式中，却保留了最原汁原味的民间音乐样式，譬如韵味独特的京韵大鼓。

京韵大鼓

京韵大鼓主要流行于北京、天津、华北及东北地区，由河北省沧州、河间一带流行的木板大鼓发展而来。表演时一人站立演唱，自击鼓板掌握节奏，旁边一般有三人操大三弦、四胡、琵琶伴奏，有时还佐以低胡。演唱时采用北京语音，又吸收京剧的发音吐字技巧与部分唱腔，大量采用清代流传于八旗子弟间的“清音子弟书”曲本，由此形成韵味独特的京韵大鼓。其唱词基本采用七字句，有时会在句中加入嵌字、衬字和垛句。韵白讲究语气韵味，半说半唱，与唱腔衔接十分自然。曲目主要包括《单刀会》《战长沙》《白帝城》《刺汤勤》《探晴雯》《黛玉焚稿》《风雨归舟》等百余段传统叙事作品、写景抒情小段及新编现代和历史题材作品。

评弹

再来看看“半说半唱”的评弹。所谓评弹，其实又有细分，曰评话，曰弹词，前者以语言叙述为主，又被称为“大书”；后者则在叙述间加入唱段，相对地则被称为“小书”。苏州弹词唱时多用三弦或琵琶伴奏，说时也有采用醒木作为道具击节拢神的情形。演唱采用的音乐曲调为板腔体的说书调，即所谓“书调”。因流传中形成了诸多的音乐流派，故“书调”又被称之为“基本调”。早期演出多为一个男艺人弹拨三弦“单档”说唱，后来出现了两个人搭档的“双档”和三人搭档的“三个档”表演。

苏州评弹自明末清初发源以来，名家不断，流派纷繁。传统的代表性节目有《三笑》《倭袍传》《描金凤》《白蛇传》《玉蜻蜓》《珍珠塔》等几十部。一部长书完整讲完短则月余，长则一年半载，表演经验丰富的评弹艺术家甚至可以现编现演，将故事以极缓慢的速度娓娓道来。据说在茶馆的评弹表演中，若是有熟客、贵客向艺人提出，自己需要外出几天，无法听评弹，却又不想错过情节。评弹艺人就可以在不中断故事的前提下，运用官白、私白、咕白、表白、衬白、托白等功能各不相同的说表手法与技巧，表现人物的思想活动、内心独白，兼以说书人的叙述、解释和评议，不断填充细节，将演出节奏放慢。例如，熟客离开时，恰好说到一个书中人物正从楼上走下来，高水平的评弹艺人既可以让他直接下得楼来，也可以根据特定的情景与故事情节，将角色的每一步都敷陈为一天的表演内容，且保持故事的连续性不断。几天后，等到那位熟客办完事回来，书中人物或许仍在楼梯上，或是刚刚下得楼来，一套书正讲到他离开时所讲到的部分，但其他听客也听得津津有味。这让人不得不佩服艺人灵活应变、即兴创作的功力。所谓“理者，贯通也。味者，耐思也。趣者，解颐也。细者，典雅也。技者，工夫也”。理、味、趣、细、技，正可谓是苏州评弹艺术的审美关窍。相比源于国外的以快速为艺术特点的说唱艺术，苏州评弹则可谓是慢到极致的艺术代表。

传统曲艺，因为说与唱、韵与白的连结，以地方语言与地方特色鲜明的音乐为主要元素，更能体现一地的文化底蕴与地方色彩。这些曲艺形式与我们的文化血脉天然相通，只要人们愿意进到这个世界，就会意识到，我们自己的说唱艺术自有其经久不衰的韵味与趣味。

说一说

你喜欢哪种传统曲艺类型？为什么？和同学们分享你喜爱的曲艺节目。

小试牛刀

邀请音乐老师指导，与同学合作，尝试创作并表演一段“三句半”，体验一下曲艺艺术的趣味吧！

第七节　解读中国“传统体育、游艺与杂技”类非遗

小热身

在没有手机、电脑、互联网的时代，人们如何娱乐？

回顾历史，无论是人的历史还是文化的历史，游戏不仅是一个人出生后了解世界、探索世界的基础本能，也是人类文化的重要组成部分。瑞士著名哲学家赫伊津哈在《游戏的人》一书中，甚至说：“在文化本身存在以前，游戏就已经存在，它在初始阶段伴随文化，渗透进文化，直至我们当前所处的文明阶段。”这一结论来自他对动物世界的观察。年幼的狮子会模仿着成年狮子攻击猎物的行动，“攻击”自己的兄弟姐妹，却并不会互相伤害，这是动物之间的游戏。通过游戏，它们学习如何捕猎，或者如何保护自身，类似的活动在人类身上也不鲜见。我们小时候，会跟小伙伴一起玩耍，扮演成年人的角色，司机、医生、警察、爸爸、妈妈，有时候还会扮演我们自己，这是一个人进入文化所必须经历的阶段。随着这些虚拟角色相伴而生的还有各种各样的玩具，譬如小时候的皮球、积木、形形色色的人偶，还有长大以后在手机、电脑、互联网络中各种虚拟的人物、形象。但除了这些日常被我们理解为游戏、玩具的部分，我们生活的各个部分其实都有游戏的痕迹。

譬如语言的游戏。那些现在已经很少听到的沪语童谣，正是孩子们的语言乐园。“侬姓啥？我姓黄。啥个黄？草头黄。啥个草？青——草。啥个青？碧绿青。啥个碧？毛——笔。啥个毛？三——毛。啥个山？高山。啥个糕？年——糕……”这样一问一答的《接口令》可以随着孩子们的成长与语言的逐渐丰富，一直进行下去。不仅是童谣，在民间文学中存在多种样式的语言游戏，这些游戏也不仅仅只是儿童之间的玩耍，譬如谚语——“多吃勿滋味，多话不值钱”“自家有才是有，自有自方便”“临时抱佛脚，越抱越蹩脚”，这些沪语谚语既饱含着千百年来人们的生活智慧，其本身也极富趣味，引人发噱，是语言游戏极

好的例证。而这仅仅是民俗游戏中的一小部分。

在没有手机、电脑的时代，人们的娱乐生活依旧十分丰富，老上海游戏中尤为人所熟知的有“弄堂九子”。“弄堂九子”顾名思义即场地要求不大，在上海狭窄的弄堂里都可以开展的游戏活动。这九子分别被称为“打弹子、滚轮子、造房子、扯铃子、顶核子、跳筋子、抽陀子、掼结子、套圈子”。有些活动至今耳熟能详，譬如造房子、跳筋子（跳橡皮筋）、打弹子（珠）、扯铃子（抖空竹）、抽陀子（转陀螺）、套圈子等；也有一些如今已经不太常见，却简单好玩的游戏，譬如顶核子，小伙伴们在地上画一个圈，用橄榄核作为游戏道具，以不同手法投掷，将圈内的橄榄核撞击出去。还有滚轮子，也就是长辈们常说的滚铁圈，只需要简单的一根金属棒，聪明的孩子们不仅可以滚铁圈，连轮胎、废弃的锅盖，只要是圆形都可以滚动起来。除了这些自制的游戏之外，民俗中还有丰富的棋类游戏，譬如围棋、象棋，已经陪伴了中国人娱乐生活上千年，而围棋更早在公元前548年就已经有了明确的记载，这项仅用黑白两色棋子构成的智力游戏，堪称百戏之祖。

除了这些可以亲身参与的游戏之外，古代中国人还发明了形形色色的表演艺术。譬如传统杂技与魔术。中国传统魔术又称戏法、“古彩戏法”，古时还被称为“幻术”或“眩术”。作为第二批国家级非物质文化遗产的赵氏戏法，可谓中国近现代娱乐中的一大传奇。

赵氏戏法的创始人，赵世魁出生于一个贫苦的渔民家庭，父母早亡，8岁时他进入“万福堂”（原河北省乐亭县戏法班）开始了学徒的生涯，14岁拜河北杂技老艺人孔继忠为师，很快就在天津开始了自己的街头卖艺生涯。赵世魁先生又被称为“罩子魁”，所谓“罩子”，指的是戏法中的一门绝技，表演时舞台中央放一张长方形的木桌子，桌面

传统戏法

上盖有一块台布，表演者向观众交代一只直径 25 厘米、高 40 厘米的空筒后，放在桌子上面，即刻在筒中变出酒坛、水果、皮球、串灯等物什，最后将变出之物放入酒坛之中，然后翻转酒坛，美酒四溢。结束时，掀开台布，桌子变成一只硕大的花篮。

除了赵世魁之外，素有“戏法窝子”之称的天津是古彩戏法的传承重镇，曾涌现出一批戏法大师，如张宝清、韩秉谦、朱连奎等，“手彩、撮弄、藏厌”三大体系的戏法均有代表性的节目传承，如《四亮》《平地拔杯》《海底捞沙》《水接纸连》《拉线棒子》《仙人摘豆》。其中，传统戏法《仙人摘豆》更是在世界范围内被誉为中国戏法的代表作品：在与观众面对面的过程中，表演者不断用语言调动观众的情绪，这一手法又被称为“使口”，边说边表演，形成“口彩相连”的独特艺术效果。几颗彩豆在表演者的手中忽隐忽现，表演者手中的竹签仿佛魔杖，又仿佛指挥棒，引导着小豆在几只空碗之间辗转腾挪，一切表演皆在电光火石之间，煞是好看。

而在南方，同样有着悠久的戏法传承，清朝时苏州人唐再丰将自己多年收集戏法魔术的收获，合为一集，撰写了《鹅幻汇编》一书，总共收集了当时流行的戏法 320 套。书名的“鹅幻”（“鹅笼变幻”），取自中国古代文献记载中的著名典故，典出南朝梁吴均编纂的笔记小说《续齐谐记》。

有趣的是，这位“素好杂技，于戏法犹属倾心”的唐再丰，同时也是一位重要的武侠小说家，他所写的《七剑十三侠》故事，既接续了武侠小说的开山鼻祖《三侠五义》中的江湖侠义，又融入了自己对戏法的喜爱，第一次在武侠小说中描写了剑仙斗法、撒豆成兵的场面。这一独特的创作手法之后被还珠楼主吸收，写出了《蜀山剑侠传》，之后才有了金庸、古龙、梁羽生这些武侠大家笔下的神奇江湖，身怀绝技的侠客们凭着高超的武艺行走世间，不仅能够隔空取物，还可以飞檐走壁，神龙见首不见尾。武侠小说实在是中国传统文化中催生出的最瑰丽、壮阔的想象，是独属于中国的民族童话。

但有时候，因为现实生活中也存在着许多武术活动，许多人往往产生误解，以武侠小说中出现的那些超乎寻常的内力、气功以为真实，将传统武学夸耀得神乎其技。其实，小说家的想象是一回事儿，作为非物质文化遗产的中国武术又是另一回事。明朝著名将领戚继光，就在他的《纪效新书》卷六“比较武艺”一篇中说，“凡比较武艺，务要俱照示学习实敌本事，真可对搏打者，不许仍学习花枪等法，徒支虚架，以图人前美观”，可见中国古代便已经将战场上真实的对敌搏杀与民间武术套路中用以强身健体的武术区分开来。中国非物质文化遗产保护名录共包含传统武术项目 59 项，其中，既包括少林、武当、峨眉等武侠小说中的常客，也有形意、咏春、太极、八卦等常常被影视作品改编、搬上舞台的武术套路，也不乏以岳飞、孙膑、蔡李佛等古代名人命名的拳法。

这些武术套路传承悠久，曾在传统的冷兵器时代发挥过重要的作用，但因为老一辈武术传人的纷纷凋零，如今已不复当年的兴旺，但它们仍旧是中国民间文化的重要组成部分，是中国文化屹立于世界的一朵奇葩。它们有的具有一定的实战性，大多数则更多地带有强身健身、修身养性、表演或具有游戏的功能，丰富着一代又一代中国人的日常生活与精神世界。

中国非物质文化遗产名录的“传统体育、游艺与杂技”一项中，共包含 124 个项目，既包含了棋类、蹴鞠、马球这些游戏活动，也包含了武术、戏法、杂技等传统娱乐活动，可谓琳琅满目，品类繁多。最早，这一类别被称为“杂技与竞技”，到了第二批国家级非物质文化遗产名录公布时，被修改为“传统体育、游艺与杂技”，游艺娱乐的属性终于超越了单纯对各种绝艺、技能的关注。尽管如今几乎所有体育活动都拥有具有竞赛性质的运动比赛、运动会，甚至电子游戏也一直在积极努力成为现代体育家族的一员。但我们始终都需要明白，奥林匹克盛会中的“更快，更高，更强”，并不是在竞技中战胜对手的宣言，而是人类在活动中，不断挑战自己，超越自己的“游戏”行为。美国作家恩斯特·克莱恩在集游戏文化大成的小说《玩家一号》中借人物之口说，“即使现实世界令我恐惧，但只有在现实中，我才能吃一顿好饭”，不可不谓当代游戏文化中的一句箴言。

中国传统文化中的游戏竞技活动，包含着古代人最朴素的精神世界与快乐。譬如围棋，一黑一白，即可表现整个宇宙；武术，以人的身体，模拟世间花鸟野兽，在辗转腾挪、伸拳舒臂中，达到天人合一，人与自然共感共通的精神境界。这些无疑都是中国人为世界文化贡献的宝贵精神财富。

小田野

回家问问父母或爷爷奶奶，他们小时候都玩些什么游戏。再问问他们，下面的这些名词究竟是什么。不妨选几项，尝试与他们比拼一下，看看如果你生活在他们的年代，是否也是游戏高手。

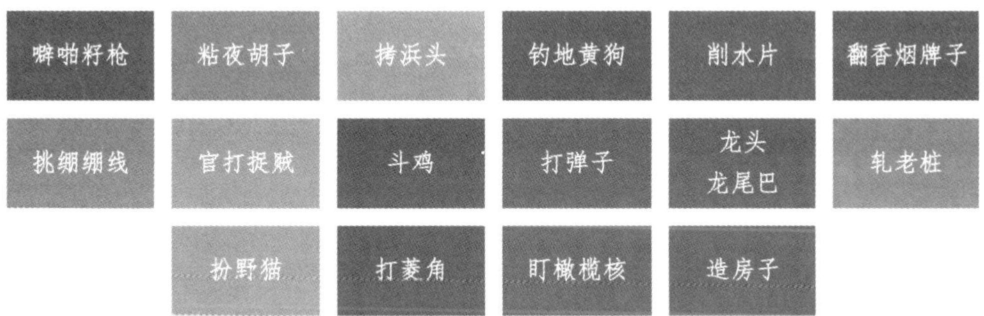

趣味拓展

周曙明：《上海城郊民间儿童游戏》，吉林教育出版社，2010 年版。

上海大世界“上海老弄堂”主题游戏集市，地址：西藏南路 1 号。

第八节 解读中国“传统美术”类非遗

小热身

你知道哪些中国传统的美术创作形式？你觉得哪些形象、图案、颜色能够代表中国？

传统美术是广大民众创造的各种视觉造型艺术，包括广泛流传于各民族和各地域的剪纸、年画、泥人、泥塑、刺绣、编织、风筝等。中国的民间美术品种丰富，内涵深厚，在民众日常生活中发生、发展、传播，表达民众的理想、愿望与信仰。传统美术的美，是一种生活实用之美，是一种淳朴、粗犷、吉祥之美。

年画

年画是我国历史悠久的民间传统艺术形式。作为年节的装饰，其吉祥的祈求、丰富的内涵、饱满的构图、夸张的用色，构成了强烈的艺术特色，是一部反映中国民间社会生活和审美的百科全书。

广义的年画可以一直追溯到汉代民众用以驱邪的神灵；狭义的年画则是用木版印刷的年俗艺术形式，与雕版印刷技术的普及密不可分。明清时期，民众物质生活水平的提升与精神生活的需求的增长，使得民间节俗繁盛，各地年画也进入辉煌期，产地有“四大”（天津杨柳青、苏州桃花坞、山东杨家埠、河北武强）和“四小”（四川绵竹、河南朱仙镇、陕西凤翔、广东佛山）之说法，足以见得大规模张贴年画习俗之普及。在传统的农耕社会中，民众生活的节律与自然同步。在这冬去春来、辞旧迎新的日子里，民众将对新一年幸福的热切期盼与对不幸的规避，充分表达在这一纸年画之中。因此，吉祥的寓意是木版年画的最大特色，无论是门神画还是风景、花卉、人物画，无不通过谐音、象征、寓意的手法来表达生活理想，集中体现了民间的思维和民众的智慧。让我们通过不同内容类型的年画，来感受一下各地年画的特色吧！

1. 门神

年画最初起源于门神画。百姓在农历新年前，将门神像贴于门上，用以驱邪祟、卫家宅、保平安、降吉祥等。门神是中国民间最受欢迎的保护神之一，寄托了民众辟邪除灾、迎祥纳福的美好愿望。

福建漳州木版年画中神像较多，是漳州民间信仰与祭拜风气较浓的缘故。漳州木版年画多以红、黑色做底，故印出的年画富有浓丽凝重之感。《山海经》记载，神荼与郁垒为一对兄弟，都擅长捉鬼，如有恶鬼出来骚扰百姓，神荼与郁垒便将其擒伏喂老虎。百姓于是用木头刻上他们的形象放在门口，后来演变为将其画于纸上贴在门上，以取得驱鬼避邪之效果。这二位便是门神的最初形象。

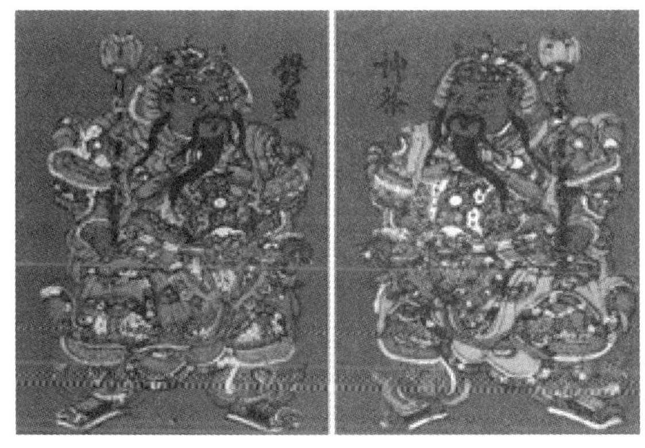

神荼郁垒·漳州木版年画

2. 娃娃

在年画中，最常见的就是可爱的胖娃娃们了。圆滚滚的笑脸，白藕般的手臂，寄托着传统社会民众们对家族兴盛、子孙兴旺的希冀。这些娃娃们又可辅以其他表示吉祥寓意的传统符号，从福禄寿喜财多方面表达民众对美好生活的向往。娃娃画是杨柳青年画的强项。“连生贵子”一图中的胖娃娃手捧乐器“笙”在吹奏，谐音“生”；旁边一株莲花；谐音“连”。身后的莲子又有“多子”的寓意。

连生贵子·天津杨柳青年画

一团和气·苏州桃花坞年画

3. 幸福

几千年来，中国民众对生活的

最基本的也是最高的追求就是幸福和合，因此，幸福和合、一团和气、和合二仙、大吉大利、竹报平安、吉庆平安、年年如意、福从天降、四季安康、迎春降福、天官赐福等都是年画中的常见题材。这是桃花坞年画中最具特色的代表性作品。画面整体为圆形，胖墩墩笑呵呵的老妪盘腿而坐，头梳双髻，衣着华丽，面容和善，双手展开长卷，上书“一团和气”。我们传统文化中的“和”，表现在年画中，便是对于天地人和的和谐关系的期许。

4. 富贵

富贵长寿也是木版年画里最为常见的主题之一。金玉满堂、耄耋富贵、招财进宝、刘海戏蟾、推车进宝、黄金万两、日进斗金等都是年画的寻常题材。这幅杨家埠年画源于道教人物刘海弃官散财的故事。传说金蟾以金为食，刘海捉金蟾时，常用一串金钱为诱饵来钓金蟾。于是民间就有“刘海戏金蟾”，步步钓金钱”的说法，有祈求富贵之意。

刘海戏蟾·山东杨家埠年画

九九消寒图·河北武强年画

5. 习俗

中国地域广博，不同的地理气候条件，不同的生产劳作方式，产生了不同的地域文化、不同的人生礼仪和岁时节日习俗。这幅九九消寒图画的是中国岁时风俗。每年从冬至当日开始数九，民间有贴此图的习俗。这幅是武强年画中最具代表性的“六子争头图”。画面中几个娃娃的头部和臀部互相借用，三童变六童，构思巧妙奇绝。三个娃娃手中分别拿着谐音平安的苹果，寓意长寿的桃子、谐音事事如意的柿子，周围又饰以十二生肖和吉祥之物。

上海月份牌画

6. 月份牌

看了这么多全国各地的年画，其实上海也有自己的特色年画——月份牌。清末民初时期，商品交易空前繁荣，再加上彩版石印技术的传入和擦笔水彩画技法的发明，使得年画艺术又产生了极大变革。月份牌诞生初期，内容与传统年画类似，因印有年历而得名。但随着国外资本的涌入，商品经济的繁荣，商家需要利用现代广告手段宣传商品以吸引顾客。于是年终岁尾之际，商家将配有月历节气的商品宣传画大量赠送给顾客，成为年画的新品种。

看这幅杭稚英绘的月份牌年画，用细腻的工笔技法将城市中最时尚的生活方式、最高级的情趣格调表现得淋漓尽致。月份牌年画以城市中产阶级作为消费对象，旗袍丽人是其永恒的主题。新颖的服饰、发型，时尚的生活方式，一下子把民众对于传统木版年画的兴趣转移到月份牌上了。除了美女和宣传的商品外，画面中还大量出现高尔夫球、游泳池、飞机、唱机、电话、钢琴、洋酒等时尚消费内容。新兴的生活方式与现代审美的融合，使得月份牌年画迅速风靡全国。

刺绣

在这些丰满的构图和鲜艳的色彩中，我们看到的是生生不息的生命的蓬勃跃动。而与以纸为媒的年画相比，刺绣则是以针为笔，以布帛为纸的另一番美术天地。刺绣是以绣针引彩线，按预先设计的花纹和色彩，在丝绸、棉布等面料上刺缀运针，通过绣迹构成花样、图案、文字的民间美术形式。心灵手巧的绣娘们，以针代笔，积丝累线，通过一针一线，花上数天或数年的时间，绣出形神兼备，配色秀雅，色泽文静，针法灵活的作品。我国各地刺绣的艺术特色各不相同，最有特色的是苏绣、湘绣、蜀绣和粤绣“四大名绣”。而四大名绣之首，就是我们江南的苏绣。

苏州刺绣发源于苏州吴县，至少有 2 000 多年的历史。自春秋时期开始，其就已形成了一定的规模，后随江南经济文化的不断发展而渐趋成熟。宋代苏州种桑养蚕业蓬勃发展，成为丝绸之乡，刺绣亦得到空前发展，各种苏绣品也逐渐从日常用品发展为更为精细雅致的观赏品。明清时期是江南文化的鼎盛时期，

王丽华 苏绣《千里江山图》

苏绣渐渐以名人书画为绣稿，把国画与刺绣完美融合，人物、山水、花鸟画跃然于绣绷之上。此时的苏绣已形成了“精、细、雅、洁”的独特风格。

苏绣图案秀丽、构思巧妙、绣工细致、针法活泼、色彩清雅，地方特色浓郁。绣技具有“平、齐、和、光、顺、匀”的特点。“平”，指绣面平展；“齐”，指图案边缘齐整；“细”，指用针细巧，绣线精细；“密”，指线条排列紧凑，不露针迹；“和”，指设色适宜；“光”，指光彩夺目，色泽鲜明；“顺”，指丝理圆转自如；“匀”，指线条精细均匀，疏密一致。

能够将苏绣的这种精致运用到极致的是其“劈丝”的技巧。头发丝粗细一条丝线，绣娘能够将其劈开，取其一半再劈，往复多次，最后得到丝线1/64，肉眼几乎难以看到，但绣娘却熟练将其穿针于绣面之上。为什么需要用如此细的丝线？绣半透明的金鱼尾巴，绣人物所穿的半透明的轻纱薄罗，小动物的毛发梢，就需要这样的丝线才能达到效果。用这样的丝线，一天的时间也只能绣指甲盖大小。刺绣所需的时间、耐心和功力，由此可见一斑。

任嘒闲 苏绣《凝视》

剪纸

看过了以针为笔的刺绣，再来看看以剪刀为笔的剪纸。中国剪纸艺术源远流长。虽然已出土的最早的剪纸实物是魏晋南北朝时期的作品，但已经是极为成熟的形态，这种形态在原始时期的彩陶纹样、青铜器的镂空纹样中，已隐约能够看到。剪纸几乎是普及性最强的民间美术门类，地域特色极其明显。在上海地区，也形成了独特的海派剪纸艺术风格。

海派剪纸起始于上海老城厢和徐家汇地区。因为商业发达，全国各地各行各业汇集于此，各方人士交流频繁，上海的工艺美术品种及艺人也受到多种文化意识的交叉影响，增强了吸纳全国各地与西方艺术特点的能力，孕育形成了“海派”艺术风格。

海派剪纸从 20 世纪 30 年代开始渐渐成型，代表人物王子淦将北方剪纸的粗犷与南方剪纸的细腻融于一体，人称“神剪王”。同期的另一位代表人物则是被誉为“东方马蒂斯”的画家林曦明，在简约抽象中创作出融汇中西美学的优秀作品。

王子淦《奔马》

林曦明《训虎》

李守白剪纸
《石库门平安里》

李守白剪纸《上海童谣》（长卷局部）

现今，王子淦和林曦明的后人和徒弟，又进一步使海派剪纸与上海地域文化水乳交融。李守白是其中最为知名的一位，他被称为“石库门先生”，不仅因其是位“老克勒”，工作室常驻石库门，而且因其剪纸主题或背景充满了老上海石库门元素，主角也常为穿着旗袍居于石库门的上海女人。在《上海童谣》长 17 米的作品中，李守白剪出 39 首老上海童谣，移步欣赏中，仿佛在同小囡一起玩老上海石库门弄堂游戏。他的剪纸作品亦有 iPad 壳、台灯等各种文创产品，我们看到在传承人的努力下，海派剪纸在重新代表上海文化特色，重新走进现代生活。

传统美术是优秀传统文化、地域文化的视觉呈现。但其随着民俗文化、地域文化、手作文化的衰退而不断式微。这种与日常生活紧密结合的艺术形式，极大程度地保留了传统生活方式、思维特点和审美特征，既是民族文化复兴的基石，又是乡村振兴、文化创意产业的取之不尽用之不竭的源泉。

说一说

1.为什么说传统美术是民众心灵的视觉展演？请举例说一说。

2.你知道传统美术中经常出现的吉祥纹样中隐藏的文化密码吗？例如石榴象征“多子”，牡丹代表“富贵”，五只蝙蝠寓意“五福临门”。说一说你的发现吧！

小试牛刀

邀请美术老师指导，自己动手，用剪纸、木版年画、泥塑、刺绣等传统美术手段，创作一件个人作品，与同学一起办一场班级传统美术展。

趣味拓展

1. 李守白在田子坊石库门的工作室“守白艺术·上海客厅”（地址：泰康路 219 弄 4 号），也是“海派手工技艺传习所”。经常会举办免费的传统手工艺教学活动。感兴趣的同学可以关注“守白艺术”公众号，参加体验。

2. 上海工艺美术博物馆（地址：汾阳路 79 号）。博物馆展示了 500 余件上海顶级工艺美术展品，包含有绒绣、刺绣、灯彩、面塑、剪纸、玉雕、牙雕、木雕、刻漆、镶嵌、砚刻、竹刻、瓷刻、细刻、戏服、编结、工艺绘画等十余个品类，基本涵盖了所有上海本地传统工艺品种。除此之外，还有玉雕、织绣、面塑等多个专业工作室供参观。另博物馆的建筑建于1905年，原是法租界最高权力者官邸，因其白色宫殿的造型颇像美国华盛顿的白宫，因此被人们称之为“小白宫”，建筑也非常值得观赏哦！

第九节 解读中国“传统技艺”类非遗

小热身

想想自己平日里的衣食住行一应所需，都涉及哪些传统技艺呢？

传统技艺是什么

如果要给传统技艺下定义、作解释，就有必要先来了解下从国家到地方各级政府在历批非物质文化遗产名录（以下简称“非遗名录”）里，有哪些传统技艺入选。以2006年国家级非遗名录“传统技艺”为例，入选名录的有89项，大致归纳起来有：各类陶瓷器制作技艺，如江苏宜兴市的“宜兴紫砂陶制作技艺”、浙江龙泉市的“龙泉青瓷烧制技艺”。各类手工织造技艺，如“南京云锦木机妆花手工织造技艺”（南京市）、“乌泥泾手工棉纺织技艺”（上海徐汇区）等。各类传统建筑营造技艺，如“客家土楼营造技艺”（福建龙岩市）、“景德镇传统瓷窑作坊营造技艺”（景德镇市）等。以及，像剪刀锻制、弓箭制作、家具制作、酒醋酿造、笔墨纸砚、服饰、花炮制作、钻木取火、传统食物制作、伞、扇制作等与日常生活衣食住行紧密相关的各种实用技艺。此后各批国家级非遗名录“传统技艺”所收项目皆为此类，如第二批国家级传统技艺非遗名录里的“玻璃烧制技艺”“绿茶制作技艺（西湖龙井等）”“晒盐技艺”“牛羊肉烹制技艺”等。不过，需要注意的是，像“盆景技艺”“布老虎”“建筑彩绘”等却不属于传统技艺，而是被纳入传统美术门类中，原因在于它们的观赏价值更为突出。

由此可见，非遗名录中的传统技艺，一般指的是传统社会中与人们衣食住行的日用生活、社会生产发展等密切相关的各类实用性制作技艺。这些传统技艺主要依靠手工制作的形式进行实践，以口口相传等方式进行传承。至2014年，国家级非遗名录共发布四批，传统技艺一门计共收录243项。这些被收入非遗名录的传统技艺是各民族极具代表性的，那些尚未收录的传统技艺数量上是非常丰富的，都曾或至今仍在人们的生活生产中发挥作用。

传统技艺蕴含各民族生存智慧

“景德镇手工制瓷技艺”[①]是数千年来我国传统生活所需各类瓷器的主要制作方法，如碗、碟、盘、瓶、罐以及瓷枕等。明清时期，随着传教士等欧洲人来到东亚，更开拓了中国瓷器的欧洲市场，18、19世纪，“中国风”瓷器风靡欧洲。与瓷器制作技术的对外传播，启蒙、影响了近代欧洲瓷器的制作发展不同，“景泰蓝制作技艺”[②]是外来珐琅手工技艺与本土金属珐琅制作技艺结合，改进了传统金属珐琅制作，也称“铜胎掐丝珐琅”。史载景泰蓝技艺成熟于明朝第七位皇帝代宗朱祁钰景泰年间，故称之为“景泰蓝”。景泰蓝制作技艺是传统金属珐琅手工制作技艺与西方珐琅技术的产物。景泰蓝制作技艺，即景泰蓝器物属铜器，以北京出产者为最。明清两代，朝廷都在北京设置御用监和造办处，专门为宫廷制作珐琅器物，出了很多精品。

中外传统手工技艺的文化交流改进和产生了新的工艺品种，其实，在我国古代，因战争、贸易等原因促进各类手工制作技艺在区域间传播和改良的也不乏成功案例。例如“苗族蜡染技艺”[③]“客家土楼营造技艺”[④]便是因为战争，汉人被迫从中原迁往历史上属于边远地区的闽粤云贵等地，在当地安居后，将从中原带过去的织染和营造技艺对当地材料进行加工，最终产生了苗族蜡染和客家土楼这样杰出的文化。

一般将蜡染归为少数民族民间传统纺织印染手工技艺，在贵州省的丹寨、安顺、织金等县，有世代生活的苗族。在苗族历史中，以蚩尤为远祖。相传蚩尤涿鹿败于黄帝后，他的残部跟随炎帝神农氏部族渡河南下退至湖

苗族蜡染

① 景德镇手工制瓷技艺，2006年第一批，国家级非遗传统技艺类。保护单位：江西省景德镇景德镇市手工制瓷技艺研究保护中心。

② 景泰蓝制作技艺2006年第一批，国家级，保护单位：北京市崇文区北京市珐琅厂有限责任公司。

③ 苗族蜡染技艺，2006年第一批，国家级，保护单位：贵州省丹寨县非物质文化遗产保护中心。

④ 客家土楼营造技艺，2006年第一批，国家级，保护单位：福建省龙岩永定区文化馆。

湘，此后湘西、云贵等地苗族都自认是蚩尤后裔。在长期与外界隔绝的艰苦环境中，贵州苗民发明了蜡染手工技艺，来制作各类日用品，并世代传承。蜡染古称“蜡缬”，苗语称“务图”，意思是“蜡染服”。苗族民俗中，女子要掌握传承蜡染技艺，母亲必须要教会女儿蜡染手工技艺。苗族女孩自幼就要学习这一技艺，栽靛植棉、纺纱织布、画蜡挑秀、浸染剪裁，代代传承。

而客家土楼的历史渊源，据传两晋时期，“群雄争中土，黎庶走南疆”，汉人从黄河向南迁徙，逐水而居，在福建、广东等地定局下来，建造起这种抵御功能强大的城堡式住宅，民间流传各种“敌人久攻不下，土楼安然无恙”的故事。客家土楼营造技艺主要流传于福建、广东、江西等地，客家土楼以福建龙岩、漳州等地最为著名。

营造、染织、瓷器等是为全社会所用的技艺，传统技艺里还有一类，工艺复杂繁富，原材料贵重，人力耗费也多，但工艺精品也往往多出，数量十分丰富。明清时期，朝廷在江南的南京、苏州、杭州等地设织造局，加上江南地区经济发达，文化教育氛围浓厚，这系列原因促使该地区的宫廷工艺、文教所需工艺相当发达。下面列述江浙地区代表性传统技艺三种。

南京云锦木机妆花手工织造技艺①。在古代丝织物中，“锦”是代表最高技术水平的织物。南京云锦是我国古代三大名锦之首，其他二锦为蜀锦、宋锦。史籍所载南京丝织品生产已有 1 500 年历史，但无实物流传。东晋末年，南京设立了专门生产织锦的机构——斗场锦署。南宋时，南京成为中国的丝织中心。元代时，南京云锦出现织金饰；明清两代，盛行彩色妆花织金饰。目前，南京云锦的生产主要分布在南京市的秦淮、建邺、白下、玄武、栖霞五区。

扬州漆器髹饰技艺②。扬州漆器为传统特种工艺品，战国时期已经出现扬州漆器髹饰技艺。从考古实物看，当时的漆器造型和髹饰技法已经达到了较高水平。扬州市郊出土的汉代漆器有一万余件，其中，彩绘的漆器居多，器型繁多，图纹丰富。唐代扬州脱胎干漆、金银平脱、螺钿镶嵌等工艺技法也发展成熟，漆器被列贡品。明清两代是扬州漆艺的鼎盛时期，出现剔红雕漆、平磨螺钿镶嵌、

① 南京云锦木机妆花手工织造技艺，2006 年第一批，国家级，保护单位：江苏省南京市南京云锦研究所有限公司。
② 扬州漆器髹饰技艺，2006 年第一批，国家级，保护单位：江苏省扬州市扬州漆器厂有限责任公司。

软螺钿镶嵌、百宝镶嵌等著名品种，扬州风格十分突出。乾隆年间，扬州出现多条以生产漆器命名的街巷，漆器产量和品种均达到历史最高峰。

湖笔制作技艺[①]。毛笔当推湖笔为最，湖笔的发源地在湖州市南浔区善琏镇，善琏镇的制笔业大约从晋代开始。据清代同治《湖州府志》载："（善琏）一名善练，……居民制笔最精，盖自智永僧（隋朝人，名王法极，王羲之七世孙）结庵连溪往来永欣寺，笔工即萃于此。"唐宋两代，湖笔技艺发展较快。元代，湖笔制作技艺达到巅峰，由此，奠定了毛笔之冠的地位。湖笔与徽墨、端砚、宣纸一起被称为"文房四宝"。纯由手工制作湖笔，工艺流程由择料、水盆、结头、装套、蒲墩、镶嵌、择笔、刻字等120多道工序组成。

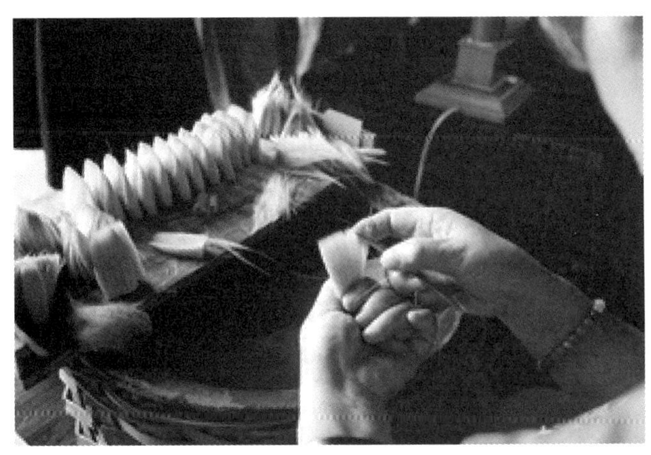

湖笔制作技艺

上海市传统技艺资源也十分丰富，上述入选国家级非遗名录的传统技艺，涵盖了保障老百姓日常生活所需的棉布纺织、服装制作以及酱油酿造、本帮菜制作等传统技艺外，还有体现出上海作为文教重镇地位的印泥、毛笔、徽墨及乐器等制作技艺，石库门里弄建筑营造技艺则是见证了晚清时期中西营造技艺文化交流汇融的活历史。上海所有的这数十项国际级非遗传统技艺，有历史上属本地发展起来的乌泥泾手工棉纺织技艺，钱万隆酱油酿造技艺等，也有文脉渊源上来自江浙皖等地传统技艺的特点，如张鲁庵印泥。张鲁庵为浙江人，后迁居上海，致力创建的品牌。曹素功墨锭源自安徽歙县等，中式服装则是近代江苏浙江裁缝在上海将制作技艺发扬光大。这也从另一个角度印证了历史：上海开埠后，作为华洋杂处、中西文化交流沟通的重镇，吸引了各地优秀传统技艺人才奔赴上海谋求发展，从而创造了富有生命力和表现力的海派手工艺文化。

① 湖笔制作技艺2006年第一批，国家级，保护单位：浙江省湖州市湖州市善琏湖笔厂。

传统技艺的当代价值和意义

从日常生产生活层面来看，传统技艺创造了传统社会所需的各类日用器具等。从文化价值层面上来看，传统技艺实现了一个国家、一个民族以及一个区域文明的存续发展。传统技艺的发展史是人类文明的发展史，是一代代民众的科学探索和实践的历史，是一代代手艺人在制作活动中表达了对人生社会、自然宇宙的思考和认识。因此，在工业化高度发达、手工技艺日渐衰微的今天，保护传统技艺的价值意义是多重的。

通过对传统技艺的学习，可以了解传统社会里的生产方式和生活方式，帮助我们形成尽可能全面的传统生产史和生活史的观念；通过对传统技艺工艺流程的学习，可以让我们对古代科学技术的发展有更为直观的认识，那些蕴含在传统技艺中深厚的有关自然与科学、社会与人文的思想精神价值观点，无一不是古人留给后人的宝贵财富。我国各民族丰富的传统技艺遗产文化，显示出各民族传统社会生活文化的多种多样性，保护传承各民族古老的传统技艺，能够增强华夏大地上各民族文化之间的相互认同，有益于维护国家统一和民族团结，也有益于促进我国社会和谐和稳定发展。

说一说

为什么说传统手工技艺中蕴含了人类的生存智慧、自然科学知识和人文思想？请举例说一说。

小田野

去三林老街上的洪氏古琴馆看一看，了解古琴艺术与洪氏斫琴技艺，听传承人洪崇岩老师介绍古琴制作有哪些步骤和奥秘，如何将一块木头制成一架能奏出天籁之音的古琴。

趣味拓展

纪录片《中国手作》，中央电视台（爱奇艺，腾讯视频）纪录片《海派百工》（B站）。

第十节 解读中国“传统医药”类非遗

小热身

从小到大，你生病时吃过中药吗？你知道哪些中药材？

中国的传统医药，主要指中医中药以及一些少数民族的传统医学、药学。传统的中医学在长期的发展中，形成了自己独特的医学体系。中药学作为中医学的重要组成部分，对中药的采集、炮制，对药性、药量、配方、服用等的分析，都建立在对植物学的深入认识上，具有很高的科学价值。藏医藏药、蒙医蒙药等少数民族医学药学体系，也都具有诊疗疾病、养生保健的独特方法和特殊功效。[1]

目前，在国家级非物质文化遗产名录中的“传统医药”项目中，包括了中医生命与疾病认知方法、中医诊疗法、中药炮制技术、中医传统制剂方法、针灸、中医正骨疗法、胡庆余堂中药文化、藏医药、中医养生等 22 个项目。

天人合一：人对自然的认识

若有一个朋友和你说，他觉得自己常年犯困，并以“春困、夏乏、秋盹、冬眠”来解释，你肯定觉得他在为自己的懒惰找借口。但在传统医学看来，这确实是有可能的。

中国传统医学把人看作一个统一的有机体，人生活在自然中，与整个物质世界也是统一的整体。自然世界讲求阴阳平衡，这是维持和保证人体生命活动的基础，阴阳失调则会导致疾病。五行学说阐述人体与自然界、人体各部分之间的联系以及疾病发生发展的机理，并用以指导疾病的治疗。比如，四季的气候变化规律是春温、夏热、秋凉、冬寒，人的生命活动也会呈现相应的变化。表现在脉象上便是春弦、夏洪、秋浮、冬沉；表现在发病规律上为春季多风病，夏季多暑病，秋季多燥病，冬季多寒病。[2]

---

① 王文章．非物质文化遗产概论 [M]. 北京：文化艺术出版社 ,2006.

② 夏民．中医学基础 [M]. 北京：中国科学技术出版社 ,2007:5.

可见，传统医药的理论体系是在生活实践中认识生命、认识自然过程中逐渐发展起来的，中国传统哲学思想孕育了传统医药理论体系的形成。传统医学的理论体系还包括脏象、经络、疾病与证候、病因病机、辨证、治则治法、五运六气等内容。数千年来，传统医学用其生命力证明了其出色的治疗效果，随着现代大量的临床观察和实验研究，许多理论也已得到充分证明。

“中医针灸”于2010年11月被列入联合国教科文组织非物质文化遗产名录。针灸治疗的最终目的为调和阴阳，结合经络系统理论，施以治疗。如胃火炽盛引起的牙痛，属阳热偏盛，治宜清泻胃火；寒邪伤胃引起的胃痛，属阴邪偏盛，治宜温中散寒，针用泻法，并灸，以温散寒邪。针灸对各个器官组织的功能活动均有明显的调整作用，特别是在病理状态下，这种调节作用更为明显。针灸便是调节了这种病理性失调。①

互补与互证：传统医药中的经验与理论

中国古代的医生身份大致可分为两类，一类为“官医”；另一类是“草泽医”。官医在古代医疗制度、兴办医学、文献编纂整理等方面发挥了重要作用，但医学理论的体系化总结均出自民间的“草泽医”力量。医学理论体系的建立需要大量对临床治疗经验的归纳，理论体系建立后还得接收实践的检验，经不起推敲的理论最终销声匿迹。②

“中医正骨疗法（石氏伤科疗法）”便是如此。“石氏伤科疗法”2008年被列入国家级非物质文化遗产代表性项目名录。“石氏伤科疗法”为石兰亭于1880年所创，融传统武术整骨手法与中医内治调理方法为一体。其第三代传人石纯农在《石氏伤科临床经验》一书中回忆道：“先叔筱山公遵循祖上遗教，亦推崇‘十三科一理贯之’，对内科具

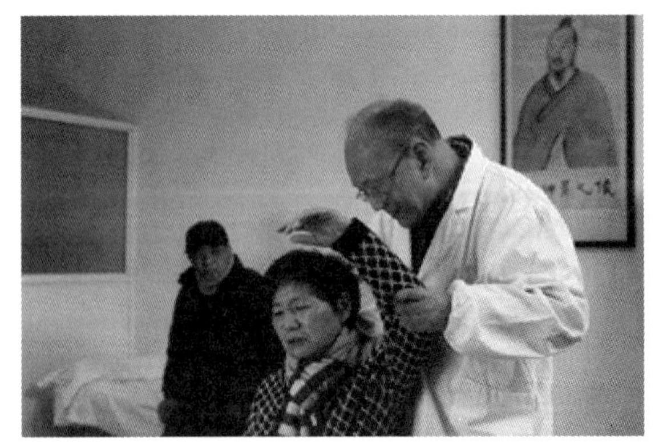

石氏伤科疗法

① 中国非物质文化遗产网。

② 钟敬文. 民俗学概论[M]. 上海：上海文艺出版社,1998.

有深厚造诣。在临症遇到跌打挟有邪并发症者，都能应付裕如。……在长期医疗实践中，对脑震伤后遗症、胸腰椎压缩骨折、老年性股骨颈骨骨折等病症，均有一套治疗经验。”现石氏伤科已传至六代，形成了以石氏特色理论、石氏特色诊治、石氏特色手法、石氏特色用药等为一体的学术体系。

中药炮制就更为曲折，从选药、确定方子、投入临床、再修改，历经时间检验才能成为传世名方。六神丸因其独特的药效在我国甚至华人圈中都赫赫有名。“中医传统制剂方法（六神丸制作技艺）”为国家级非物质文化遗产代表性项目，其在苏州和上海都有所传承与发展。历代医家所创丸散中名“六神丸”者有十余种，在《圣济总录》中记载的便有 4 种，有治痔瘘的，也有平补诸虚、大益气血、治疗赤白痢疾的。

1734 年，吴门名医雷大升 (字允上) 在苏州阊门开设诵芬堂药店。1860 年，太平天国进攻苏州，雷氏家族将店迁至上海法租界兴圣街 (今永胜路) 开设“雷诵芬堂申号”药铺。后太平军兵败，雷氏家族重返苏州。雷允上既能行医，又能制药。在长期临诊卖药中，累积了大量古方和民间单方，不断修改完善，最终确定犀牛黄、腰黄、珠粉、元寸香（即麝香）、蟾酥、冰片 6 味入药。这些药材不是最常用的植物类药，而是动物、矿物类药，且有一定毒性，配药时既保留毒性药材中的有效成分，又降低毒性药材的毒副作用。雷允上由于拥有医师和药师的双重身份，才能开出这样的配方。

雷允上的药材选择也十分严格，珍珠选用港濂珠，不用老光珠；麝香必用“当门子”，是指麝体下腹部腺香囊中成颗粒状者的干燥分泌物，质优价贵。采购蟾酥的时间大都在春秋雨季，直接向乡农收购，由老药工指导刮取蟾酥浆。“泛丸”则是通过成型、起模、打光等纯手工制法，使微丸具有圆整度、光亮度高及崩解速度快的特点。以前，制药工序极其保密，工序按采购、炮制、选配等步骤分解下去，制药工各司其职，相互间不允许打听。各岗完成原药后，再汇总到传人手中，由传人在一个封闭的房间里完成最后的合成。[①] 在临床上使用，也得靠医家的实践验证。

---

① 中国非物质文化遗产网。

被国务院评为“国医大师”的朱春良曾特撰《内科急症应用六神丸的探讨》，讨论六神丸在内科急症中的用途。经过实践，他认为，六神丸的适应证不止于“咽肿、喉痈、白喉、痈疽、疔疮等症”，“我们通过临床实践，认为它对热病引起之休克及心衰、早期呼吸衰竭等危重证候有独到之功，对于哮喘、冠心病、癌肿、白血病等症，亦有一定疗效，确是仓卒救急的妙方，扶危拯脱的良药”[①]。

融合而非对立：传统医学与现代医学

“中医可信吗？是伪科学吗”这在现在仍是一个热门话题。“中医”与“西医”被视为两种不同的医学体系对立起来，水火不容。但在医学界，并没有中医与西医的区分，只有传统医学和现代医学（modern medicine）的区别。传统医学以经验医学为主，现代医学则建立在最佳的科学研究证据基础上进行医疗决策。20 世纪 80 年代，欧美国家的临床医生越来越注重临床科研，从理论上认为有效的疗法，在临床实践中不一定有效。因此，出现了循证医学 (evidence-based medicine) 的概念，强调在临床医生确定治疗方案时，“根据临床面临的实际问题，进行系统的文献检索，了解相关临床问题的研究进展，并对相关研究结果进行科学评价……证据必须是来源于设计严谨、方法科学可靠的临床研究报告”[②]。

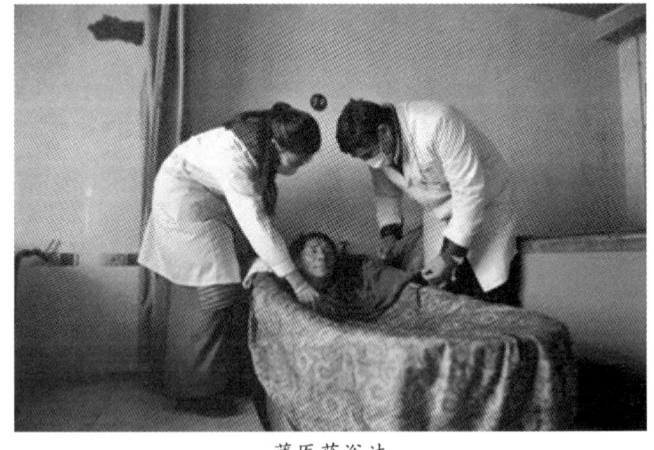
藏医药浴法

传统医药一直以来也在努力突破经验医学，用一个个严谨的临床报告不断打破“中医是伪科学”的命题。“藏医药浴法——中国藏族有关生命健康和疾病防治的知识与实践”是我国被列入人类非物质文化遗产代表作名录项目。“藏医药浴法”是藏医五大外治法之一，在藏语中称为“泷沐”，即湿润的意思。由于药浴可起到疏通经络、活血化瘀、通行气血、濡养全身、增强肌肤的弹性和活力的作用，

① 朱良春 .内科急症应用六神丸的探讨 [J]. 湖北中医杂志 ,1982(01):37-40.

② 王鹏，陈金玲 .循证医学 [M]. 北京：中国医药科技出版社 ,2006.

故而命名为“泷沐”。其治疗方法可分为水浴、敷浴、蒸浴三种。药浴最常用的是水浴，水浴又可分为两种，一是取天然温泉水做药水浴；一种是人工药浴。天然温泉主要根据矿物的成分为不同的患者进行治疗。藏医药浴现主要已在免疫学、药效学、毒理学方面开展实验研究，在风湿类疾病、神经系统疾病、皮肤病、妇科疾病、骨伤疾病、肥胖症及慢性疲劳综合征等疾病中开展了全面的临床研究。①

传统医药实证研究的“高光”时刻出现在2015年。那一年，中国中医科学院中药研究所首席研究员屠呦呦获得了诺贝尔生理学或医学奖。1969年，中医科学院中药研究所参加全国“523”抗击疟疾研究项目。屠呦呦被指令负责抗疟中药的研发。屠呦呦经过收集整理历代中医药典籍，收集名老中医及大量民间药方。在汇集了包括植物、动物、矿物等2 000余内服、外用方药的基础上，编写了以640种中药为主的《疟疾单验方集》。经过大量的反复筛选工作后，1971年起工作重点集中于中药青蒿。青蒿乙醚中性提取物抗疟药效的突破，是发现青蒿素的关键。经过多次高温提取失败，屠呦呦在葛洪《肘后备急方》有关“青蒿一握，以水二升渍，绞取汁，尽服之”的截疟记载中获得了灵感——使用低沸点溶剂的提取方法。青蒿素经过鼠疟实验、猴疟实验后开展临床研究，30例恶性疟和间日疟病人全部显效。从此，拉开了青蒿抗疟研究全国大协作的序幕，并最终将中国经验贡献给了世界。

屠呦呦在诺贝尔获奖演讲《青蒿素的发现：传统中医献给世界的礼物》中动情地说道，自神农尝百草起，“中医药在几千年的发展中积累了大量临床经验，前人已经对于自然资源的药用价值已经有所整理归纳。……中国医药学是一个伟大宝库……通过抗疟药青蒿素的研究经历，深感中西医药各有所长，二者有机结合，优势互补，当具有更大的开发潜力和良好的发展前景”。

屠呦呦

① 黄福开．中国藏药浴[M]．北京：中国藏学出版社，2003(11).

超级链接

循证医学（evidence-based medicine, EBN）是近年来在临床医学实践中发展起来的一门新兴临床学科，旨在促进将医学研究的最佳成果应用于临床医疗实践，推动医疗质量的提高和临床医学的进步。在20世纪90年代初，欧美许多内科医生提出循证医学概念，其中最有影响力的是David Sacket在《英国医学杂志》（*British Medical Journal*）上的一篇评述，题目为：Evidence based medicine: what it is and what it is not。（摘自《循证医学》王鹏、陈金玲主编）

说一说

依靠经验的传统医药如何能在现代医学中找到自己的位置？

小田野

日常生活中所食用的一些食物也可入药，你能找到哪些？查查资料，看看它们有怎样的功效。

趣味拓展

屠呦呦诺贝尔奖领奖演说：《青蒿素的发现：传统中医献给世界的礼物》

第十一节　解读中国“民俗”类非遗

小热身

外出旅行时，你看到过哪些有趣的民俗？

在国家级非遗名录里，民俗类共计156项，大致为：各类节日习俗、祭典、二十四节气、庙会、灯会、民间信俗、祭祖、茶俗、婚俗、桑蚕习俗等，此类民俗数量丰富。其他习俗如规约习俗、抬阁、动物驯养以及民族服饰等，而书会、珠算、更路经、天文历算、朝鲜花甲礼也属于民俗。

节日民俗中，有的节日包含多种民俗，如春节、元宵节及中秋节等。也有某个民族独特的节日习俗，如傣族泼水节、瑶族盘王节等；祭典民俗有黄帝陵祭典、炎帝陵祭典、大禹祭典等；二十四节气民俗有九华立春祭、班春劝农、苗族赶秋、壮族霜降节，各民族节气民俗文化里皆蕴含丰富的农业生产知识和思想；庙会习俗是传统民间信仰衍生而成，如北京妙峰山庙会是以妙峰山娘娘庙（又称碧霞元君祠）的碧霞元君祭祀为中心的民俗活动。上海龙华庙会则是每逢弥勒菩萨化身布袋和尚的涅槃日，龙华寺便举行隆重的纪念法会，是兼容商贸、娱乐的综合性庙会；民间信俗有全国各地都有的关公信俗，也有主要在闽台地区流行的保生大帝信俗；灯会一般属于元宵节习俗，当代比较有名的有上海豫园灯会、南京市秦淮灯会等。

由此可知，我国非物质文化遗产分类中的“民俗”，一般是指不同历史时期、不同文化背景的人们所遵循的一种模式化的日常生活实践。

各类民俗在传统社会生活生产的安排运行中发挥着重要作用，如被列入联合国“人类非物质文化遗产代表作名录”珠算（珠算文化），是我国古代以算盘为工具进行数字计算的一种方法，作为一种传统的民间知识和独特的计算实践方法，在我国古代社会经济和科技发展中发挥了重要作用。又如二十四节气，为古人通过观察太阳周年运动而形成的时间知识体系及相关的实践，反映季节的变化，指导农事活动，影响着千家万户的衣食住行。日常生活中也随处可见二十四节气的影响，如一些由节气和民间文化结合而成的节日：清明、立春、立夏、冬至等，夏至、暑伏也融入日常生活，像“头伏饺子、二伏面、三伏烙饼摊鸡蛋”“冬练三九、夏练三伏”等。女娲信俗里则包含了求子、生育、婚嫁等观念，在日常生活实践中则表现为民众祭拜女娲的信仰行为等。

相同的节日不同的活动，这句话可以较为准确说明文化不同、地域不同、古今不同等因素对节日民俗变化的影响。像春节、中秋这类覆盖面非常大的传统节日，在不同民族、不同地域、不同历史时期，其活动可能存在较大差异。

春节[①]是中国民间传统最盛大的节日，汉、壮、布依、侗、朝鲜、仡佬、瑶、畲、京、达斡尔等民族都过春节。春节历史悠久，起源于殷商时期年头岁尾的祭神活动。

春节的节俗活动非常丰富，持续一个月。正月初一前，有祭灶、祭祖等仪式；节中，有给儿童压岁钱、向亲友拜年等习俗；节后半月又是元宵节，其时花灯满城，游人满街。元宵节过后，春节才算结束。不同地域、民族过春节的方式也有所差异。例如蒙古春节，又称查干萨日[②]，“查干萨日”的蒙古语意为“白色的新年”。蒙古族以白色为纯洁、吉祥之色，故春节又称“白节”。自元朝起，蒙古族开始使用中原历算法，并将蒙古族白月与汉族春节时间统一。其节俗内容包括“庆小年”“度除夕”“迎初一”“闹十五”“终二月二”等，与汉族春节节庆习俗类似的内容。同时，仍保留萨满“祭火”、除夕吃“手把肉”等蒙古族传统习俗。山西省怀仁县的春节习俗中有一项叫怀仁旺火[③]，俗称“拢火龙”，又称“大旺火”，是一种社火民俗活动。这一节日的形成与怀仁富有煤炭资源有关，燃煤旺火祈福迎春的民俗出现于清代。旺火主要形式是用体积较大煤炭块垒成一个塔状，名曰旺火，寓意全年兴旺。里面放柴，外面贴上红纸字条，上写“旺气冲天”等字。旺火形成时，火苗从无数小孔中喷出，远近村民围着最大的旺火堆转圈祈求“旺运”。

---

① 春节，2006 第 1 批国家级非遗民俗类，保护单位：文化和旅游部。

② 春节（查干萨日），2011 第 3 批国家级非遗民俗类，单位：吉林省前郭尔罗斯蒙古族自治县。

③ 春节（怀仁旺火习俗），2011 第 3 批国家级非遗民俗类，扩展项目，保护单位：山西省怀仁市文化馆。

七夕节[①]是在我国很多地区流传的一种节日民俗。农历七月初七，俗称七夕节，又叫“乞巧节”“女儿节”，是女性的节日。汉、满、朝鲜、壮、侗、苗、畲等各民族都有七夕节，但各民族叫法不一，满族称为祭星节，鄂伦春族人称之为祭月亮等。七夕节起源于牛郎织女神话，其习俗主要包括：

1.拜牛郎织女，瓜棚下听“天语”；

2.丢巧针，卜运气；

3.七姊妹结盟；

4.接露水，种生；

5.祭七夫人、魁星、文昌、关公、天孙等。

浙江温岭石塘七夕“小人节”

各地区七夕节的节俗活动同中有异。浙江温岭市的“七夕节（石塘七夕节）”[②]流行于温岭沿海的石塘、箬山一带。七夕那天，16岁以下男孩女孩向七娘妈祈福。16岁是孩子长大成人的分界线，超过16岁就不再参加七夕祭祀，因此，当地俗称“小人节”。石塘祖先在300多年前从闽南迁入，将这一习俗传入。初七凌晨至中午，有小孩的家庭会在门口设供桌，摆彩亭、彩轿，点香烛，放七个酒盅、七色线、时鲜果蔬、糖龟、刀肉、索糰、粽子等祭祀七娘妈。祭祀结束燃放鞭炮，焚化彩亭、彩轿以献给七娘妈。

广州天河区、番禺区、黄埔区一带把七夕乞巧节称为“七姐诞”，又叫“七娘诞”“摆七娘”“拜七娘”，是岭南地区古老乞巧民俗。七夕那日，由社区组织“拜七娘”仪式，祭拜对象除了牛郎、织女二星，还有织女的6个姐妹。当地女子还在那天参加“摆巧”，活动有扎制人物玩偶，“对影穿针”，演牛郎织女戏等。［广州市天河区的“七夕节（天河乞巧习俗）”[③]］

① 七夕节，2006第1批国家级非遗民俗类，保护单位：文化和旅游部。

② 七夕节（石塘七夕习俗），2011第3批国家级非遗民俗类，扩展项目，保护单位：浙江省温岭市文化馆。

③ 七夕节（天河乞巧习俗），2011第2批国家级非遗民俗类，保护单位：广东省广州市天河区文化馆。

中秋是流行于全国众多民族中的传统文化节日，其重要性仅次于春节。农历八月十五是中秋节[①]，又称“月夕”“秋节”“仲秋节”“八月节”“八月会”“追月节”“玩月节”“拜月节”“女儿节”“团圆节”。中秋节得名于其时值三秋之半，据说这一夜的月亮最大最圆最清亮。中秋节源于远古敬月习俗，周代已有“中秋夜迎寒”“中秋献良裘”“秋分夕月（拜月）”的活动；汉代则在中秋或立秋之日敬老、养老；晋唐时已有中秋赏月之举；北宋定八月十五为中秋节，此时已有节日食品，“小饼如嚼月，中有酥和饴”。中秋节的相关活动有：

1.流传月亮、嫦娥、玉兔、吴刚等传说；

2.举行祭月仪式；

3.吃月饼；

4.祭祀土地生日；

5.做占卜活动；

6.送瓜祝子；

7.在中秋进行赏月、斗蟋蟀、养蝈蝈等活动。

各地中秋习俗各有特色，香港岛北面沿海客家村落每年定期举行大坑舞火龙[②]，驱瘟祈福，庆贺中秋节。相传在光绪六年（1880 年），大坑发生瘟疫，村民扎做一条火龙巡游社区，燃放爆竹，驱除瘟疫，由此形成舞火龙习俗。中秋博饼[③]习俗源于福建厦门，盛行于漳州的龙海、泉州的安海和金门县等地，每逢中秋佳节，举行中秋博饼活动，参加者以六个骰子轮流投掷，博取状元、榜眼、探花、进士、举人、秀才六个等第并按等第获取大小不同的月饼。广东省佛山市民间过中秋节时，民间传统做法是举行“佛山秋色”[④]，这种大型的民众文娱活动肇端于两晋时期儿童舞草龙庆丰收的“孩童耍乐”，可分为以扎作、砌作、针作、裱塑、雕批为主的民间工艺展示，和以歌舞、戏剧、杂技、化妆表演等为主的文艺表演两大类。

---

① 中秋节，2006 第 1 批国家级非遗民俗类，保护单位：文化部文化和旅游部。

② 中秋节（大坑舞火龙），2011 第 3 批 国家级非遗民俗类，扩展项目，保护单位：香港特别行政区大坑坊众福利会。

③ 中秋节，2008 第 2 批）国家级非遗民俗类，扩展项目，保护单位：福建省厦门市中秋民俗文化研究会。

④ 中秋节（佛山秋色），2008 第 2 批国家级非遗民俗类，扩展项目，保护单位：广东省 佛山市民间艺术研究社有限公司。

常言说一方水土养一方人，除却自然地理意义的含义，这“一方水土”还包括丰富多彩的地方民俗，地方民众的价值观和审美观寄寓在丰富的民俗实践活动中。在当代，保护传承民俗具有重要的价值意义。

民俗是一种有持续稳定性的文化，蕴含在民俗活动中的传统文化、思想和观念能够历经数代人而得到有效保护与传承。在历史的进程中，有的民俗延续上千年至今仍还保留着，有的民俗消失在历史长河中，也不断有新的民俗形成。这说明历代民众在生产生活实践中不仅传承了民俗，还对其进行不断的更新。民俗传承中的更新能力，在一定程度上保证了地方传统的优秀文化得到良好的传播，保存了有关传统社会生活生产实践的历史记忆。民俗是地方民众共同遵守的文化形式，因此，民俗是维系地方民众之间关系的纽带，在实现地方文化的互相认同中，增强地方社会凝聚力。

此外，我们还应要注意辩证判断传统民俗中的迷信问题，例如，在民间俗信中普遍含有一些迷信成分，我们要能够看到这些内容是老百姓表达对美好生活祈求的朴实愿望，而在科学昌盛的今天，我们还要能够运用科学观念来辩证对待传统民俗中的精华糟粕，在科学精神下建立起适用于当今时代的民俗观点。

说一说

生活中有许多不成文的规矩或习俗，虽不是法律，却以约定俗成的习惯力量引导、约束着人们的行为，你能举一些例子吗?

趣味拓展

《我们的节日》，山东画报出版社 2018 年版。

南京市民俗博物馆，地址：南京市秦淮区大板巷 46 号。

上海民族民俗民间博物馆，地址：浦东新区成山路 216 号。

第十二节 上海非遗保护 ABC

小热身

你知道上海有哪些非遗项目吗?

上海，位于吴尾越角，中西文化交汇之地。虽然是国际化大都市，但也同样拥有着丰富多彩、独具特色的“非物质文化遗产”，它们体现了上海这座海派都市别具一格的传统理念、审美个性和文化精神，是见证上海城市历史进程的“活化石”，上海城市发展的内聚力。

从开埠之日起，上海“通商码头”的定位就为各种文化和文明在上海的交汇、交流与交融提供了便利。频繁进出的商船，不仅带来了丰富的生活物资，还带来了东、西、南、北各具特色的文化，于是“通商码头”衍生为“文化码头”。上海的非物质文化遗产，正是在这种由一个普通乡村逐渐演变为国际大都市的社会环境基础上发展起来的。

上海的非物质文化遗产文化资源积淀深厚，形态繁多，几乎涵盖了当前我国非物质文化遗产保护项目中涉及的所有十大门类。其中，既有乡村特色浓郁的民间音乐，如田山歌、泗泾十锦细锣鼓、崇明吹打乐；民间文学，如陈行谣谚、上海花样经、杨瑟严故事；也有都市文化鲜明的传统戏剧和曲艺，如沪剧、京剧、独角戏。既有反映上海商业文化特色的传统技艺，如老凤祥金银细金制作技艺、龙凤旗袍制作技艺、海派膏方文化、月份牌年画、连环画、何克明灯彩艺术；更有展现地方风情风貌的民俗庙会，如龙华庙会、豫园灯会、罗店划龙船、阿婆茶、圣堂庙会、羊肉烧酒食俗等。

相较我国主要源自农耕文化的非物质文化遗产，上海的非物质文化遗产因其植根于大都市多元包容的文化土壤和纷繁复杂的商业环境而自成一格。像昆曲、京剧、越剧、淮剧等戏曲剧种，无一不是发轫于其他地区而成就于上海文化“老码头”，并形成了丰富的流派形式和演出剧目；为数众多的“老字号”都在上海起家发展、历经沧桑，其承载的各种传统技艺工艺、品牌价值和经营理念，凝结着上海人的商业灵慧、生存睿智和诚信品格。它们让上海的城市文脉更加具象、更加丰富、更加生动。保护和传承这个城市乃至整个民族的文脉是我们义不容辞的文化责任和使命。

2005 年，我国正式启动了非物质文化遗产保护工作。按照当时国务院有关政策和文化部的工作部署，上海市委、市政府高度重视非物质文化遗产保护工作，提出了“使上海城市历史文脉在现代化社会建设中得以保护和传承，民族精神得到弘扬和传播”的工作要求。由此，上海的非物质文化遗产保护工作全面展开，通过全面的普查非遗资源，健全保护工作机制，建立三级名录体系，强化各项保护措施，加强宣传普及和交流传播，积极推进非物质文化遗产保护工作，并取得了丰硕成果。

非遗资源普查

根据文化部关于“摸清非遗家底”的工作部署，2005 年，上海启动了覆盖全市的非遗资源普查工作，共搜集各类资源线索 1 万余条，项目资源 1 939 个。这些资源构成了上海建立非物质文化遗产各级代表性名录的基础。

保护工作机制

由于非物质文化遗产门类众多，涉及面广，2005 年，上海市成立了非物质文化遗产局际联席会议。它是参照当时文化部“非物质文化遗产保护工作部际联席会议”的模式，结合本市实际情况设立，由市文化和旅游局牵头，共 15 个政府部门参加，以协调、决策本市非物质文化遗产保护工作中的重大事项。

上海非物质文化遗产保护的主管单位是上海市文化和旅游局，文化和旅游局设有非物质文化遗产处，从政府层面管理上海市的非物质文化遗产保护工作。

上海市非物质文化遗产保护工作的专业机构是上海市非物质文化遗产保护中心。其于 2006 年 12 月成立，设在上海市群众艺术馆内。中心依托上海市群众艺术馆的场地，还设有非遗图书馆和“上海故事”主题展馆。非遗图书馆有很多非遗相关的专业书籍，每个暑假还会组织丰富的非遗体验活动；“上海故事”

主题展馆每 2-3 个月就会举办非遗主题的展览。这两个场所都向公众免费开放，欢迎前来参观。

同时，各区都成立了相应的非物质文化遗产保护中心，通常设在各区文化馆等公共文化机构内。

三级名录体系

自 2007 年 6 月第一批上海市非物质文化遗产代表性项目名录公布以来，上海市共认定、公布了六批市级非遗代表性项目和五批代表性传承人。现有国家级项目 55 项（子项 63 项），市级项目 251 项，区级项目 400 余项；国家级传承人 120 名，市级传承人 647 名，区级传承人 700 余名。

那么，什么是三级名录，它又是怎么产生的呢?

三级名录就是国家级、市级、区级名录。一个项目首先要通过各区非遗保护中心组织的评审认定，由区人民政府公布，成为区级非物质文化遗产代表性项目；再从区级项目选拔符合要求的项目，送交市非物质文化遗产保护中心，经过专家评审、市文旅局审议，由上海市人民政府公布，成为市级非物质文化遗产代表性项目；再由市非遗保护中心选送项目至中国非物质文化遗产保护中心，经过评审等相关流程，最后由国务院公布。传承人的认定同样也遵循逐级申报的规范，只有国家级的项目，才能产生国家级的代表性传承人。

制度建设

2016 年 5 月 1 日，《上海市非物质文化遗产保护条例》正式实施，对于贯彻落实《中华人民共和国非物质文化遗产法》，推动本市非物质文化遗产保护工作科学开展具有里程碑的意义。

自 2012 年起，上海还设立了市级非物质文化遗产保护专项资金，由市级财政预算安排，专项用于上海市非物质文化遗产保护工作。与此同时，本市国家级、市级、区级三级专项资金配套体系也逐步形成。

此外，还制定了《上海市非物质文化遗产代表性项目管理办法》《上海市市级非物质文化遗产保护专项资金管理办法》等重要规范性文件，为上海市非遗保护工作的科学、有序、高效开展提供了有力的制度保障。

超级链接

“上海市市级非物质文化遗产保护专项资金”由市级财政预算安排，专项用于上海市非物质文化遗产保护工作，主要分为两类。一是项目补助费，主要补助与国家级和市级非物质文化遗产代表性项目相关的调查研究、抢救性记录和保存、传承活动、理论及技艺研究、出版、展示推广、民俗活动、后继人才培养、研修研习支出等；二是传承人补助费，用于补助国家级和市级非物质文化遗产代表性传承人开展传承活动的支出。

问题一：如果你和同学想组织一次关于三林舞龙的调研，能不能申请项目补助经费呢?

答案：不可以。项目补助费由单位提出申报，不接受个人申报。

问题二：如果你的学校要申请项目补助经费，可以不可以呢?

答案：这就要看学校是否符合以下条件：

1.具有独立法人资格；

2.具有固定的工作场所；

3.具有专门从事非物质文化遗产保护的工作人员；

4.具有科学的工作计划和合理的资金需求；

5.遵守相关法律法规，诚实守信。

问题三：邻居家有位非常爱舞龙的老爷爷，可不可以申请传承人补助经费呢?

答案：不可以。申请传承人补助费的传承人须列入国家级或者市级非物质文化遗产项目代表性传承人名单且健在。

超级链接

《上海市非物质文化遗产保护条例》全文共八章四十七条，包括总则、调查与保存、代表性项目名录、分类保护与合理利用、传承与传播、保障措施、法律责任和附则。《条例》立足上海保护工作实际，相较上位法，在法规名称上突出“保护”二字，并在法规中将此主线贯穿始终。例如，特别明确了对具有生产性技艺和社会需求，能够借助生产、流通、销售等手段转化为文化产品的传统技艺、传统美术、传统医药药物炮制类等非物质文化遗产代表性项目，通过扶持、引导、规范对项目的合理开发利用，实行生产性保护，充分地凸显了上海工商业文化传承与发展的地方立法特色。

宣传普及

自2008年起，上海开始陆续推进国家级非遗代表性项目丛书编辑出版、系列专题片摄制和国家级非遗代表性传承人数字化采录工作，以对非遗项目和传承人进行记录建档，并开通了上海非物质文化遗产网和“上海非遗”微信公众号，针对不同的用户和社会需求，进行分层宣传。

此外，上海积极开展社会宣传和青少年教育。利用北京奥运会，上海、丽水、米兰世博会等重大活动平台开展宣传推广。每年春节、元宵、端午等民俗节庆和“文化和自然遗产日”等重要节点，都会组织全市形式多样的宣传推广活动。2013年起，根据《上海市文教结合三年行动计划》，积极推动非遗保护的文教结合，重点推进“进校园、进课堂、进教材”，打造了“上海非遗学子展馆行”等品牌活动。

超级链接

为了向青年学子普及和弘扬上海的珍贵非物质文化遗产，通过整合全市非遗场馆资源，打造青少年非遗教育平台，2011年6月的中国文化遗产日，上海市非物质文化遗产保护中心启动了“上海学子非遗展馆行”活动。

活动每年设计印发10万份由非遗护照、地图组成的参观套件，动员全市中小学生参观全市范围内的非遗主题展馆，还陆续推出了传习班、非遗深度游、优秀参观感悟评选、优秀活动摄影评选等拓展项目。各展馆配合活动也举办了百余场与非遗项目有关的讲座、培训、展览、体验活动，受到了社会各界的好评。

说一说

结合非遗的定义，观察一下你的身边有哪些事项可能属于非物质文化遗产资源？

第三章

三林非物质文化遗产解析

第一节　浅探三林地方文脉

小热身

你知道三林中学的来历吗?

一

三林与上海东部地区，同属江海河网地区，河道纵横，民间素有“十里一浦、五里一塘”的说法。在古代，南北流向的河流被称为“浦”，东西流向的被称为“塘”。而这条东北、西南走向，横贯三林全境的古老河道，久而久之就被人们称作了“三林塘”。现在，它是浦东三林镇的地名代名词，也有人专指“三林老街”。“三林”一词最早出现在郏亶在宋神宗熙宁三年（1070年）撰写的《治田利害七事》。之后“三林浦”“三林塘”“三林里”“三林乡”等称谓在不同时期都出现过，虽今人已混用不清，但在过去，还实有区别。

三林浦原为纵贯吴淞江而经青浦和松江至东海的大浦，经过千年演变，尤其是黄浦江形成后，三林浦被黄浦江拦腰切断，久而久之，三林浦的名称只使用到黄浦水口而止。南宋绍熙四年（1193年）撰写的《云间志》记有“三林里”，却无“三林浦”。这或许说明，南宋时期的三林浦，其部分河段已经逐渐淤塞、断流，排水功能严重退化。这也佐证了三林浦曾是一条非常古老的河流。

过去三林浦水口正对的河流现为淀浦河，明清时称为横泖，实际是三林浦西段，远泄淀山湖之水。现浦东部分东段，东起护塘港上的小湾镇，西越曹家沟，在张江镇之南入马家浜，现留下部分三林浦的遗迹。西段则在明代初改称三林塘，并得以基本保留，至清末则改称“三林塘港”。而“三林塘”这一名称很有可能始于明朝永乐年间。

三林的历史或许比我们想象的要久远得多。1975年11月25日，川沙严桥公社开挖南张家浜时，发现一处唐宋村落遗址。1979年12月12日，开挖川杨河时，在川沙北蔡乡五星大队第十二生产队三宅头黄家宅南一段，挖掘出古代木船一条，经科学鉴定，古船可能制造于隋代，至唐朝武德年间还在使用。这证明浦东西部地区在唐朝时已经成陆，并且出现了最早的浦东人和浦东海塘。三林浦在五代时期或之前已经形成，或与当时吴越国兴修水利工程有密切关系。

二

但三林缘何姓“林”？关于“林”姓始祖的谜团，和那些埋藏在历史、文献、传说里的源流猜想，都还等待着有心人继续挖掘。在当地，最有名的还是这一则传说：宋末元初，福建有个名叫林乐耕的读书人，想要通过科举出仕，然而却连续五次乡试都名落孙山，不禁心灰意冷，萌生了归隐的念头。一天，恰有好友前来探望，与其共读了陶渊明的《桃花源记》。再次品味此文，结合当时的情境，武陵渔人的奇妙际遇激发了林乐耕远游的念头。不久，他就携妻带子出发了。林乐耕一家离开福建，取水道一路北上，行经浙江，最终在如今上海东北境的黄浦江滩边靠了岸。

这块土地由长江带来的泥沙在江口渐渐冲积而成，东汉时还只是一片滩涂。一千年后，林乐耕初登此地，望着天地之间的景象，觉得这里正是自己寻觅已久的桃源，便毫不犹豫地在此定居下来。在家族不断努力耕耘下，三林之“东林”“西林”“中林”都在之前的基础上获得了进一步的发展。无论林乐耕一家是否为三林开创始祖，他们的到来，却是开启了三林稳步发展，逐渐繁茂的新篇章。

通江达海的三林塘吸引了越来越多的人来此定居。他们在此地勤劳耕作，顺应天时，开拓民生。这些先民努力地生活，创造，繁衍生息的同时，也编织着三林历史的深厚河床。从衣食住行、婚丧嫁娶，到岁时节令、娱乐游戏，从社交习俗、乡规民约到生产知识、生活智慧和心意信仰，他们在积极适应环境、改造环境的过程中，积淀出了内涵丰富的三林地方文化，促进了一代又一代三林人文化人格的养成。而三林勤劳进取、勇于开拓、温厚纯良的乡风，直接造就了社会的繁荣富庶。

历史上，三林的西部即是宋元时期繁华的巨镇乌泥泾，那个被李约瑟写入了《中国科学技术史》的伟大女性黄道婆，就是乌泥泾人。她生活在宋末元初，幼时流落海南崖州，30余年后漂泊回乡，把黎族的纺织技艺带回了乌泥泾，并带领家乡妇女改良了整套手工棉纺织工具和技艺。这套先进的技艺很快在周边地区广泛普及，大大提升了棉布生产的品质与效率，使上海的纺织业在明朝时就有了“衣被天下”的美名，并在之后的600年间始终居于中国的龙头地位。

与乌泥泾一江之隔的三林，是松江府最早种植棉花的古镇之一，心灵手巧的本地妇女又近水楼台地得了乌泥泾黄婆婆的真传，开创了闻名天下的“三林标布”，相传最多时一年有200多万匹土布销往全国各地。这些从未被载入史册的无名氏妇女，无论酷暑与严寒，年复一年，在纺车和织机间操劳，为家庭创造了重要的收入，也造就了三林手工棉纺织业的长期繁荣，进而大力促进了当地社会经济的发展。

三林凭借渔业、纺织业和贸易渐渐兴旺起来，人口与财富都越聚越多，渐渐成为包括杨思、陈行等在内的区域政治、经济、文化、交通中心，是浦东发展的重要策源地。不仅乡间稻耕棉织一派繁忙，镇上的店铺作坊也是鳞次栉比。明弘治《上海县志》中曾描述此地:“民物丰茂,商贾鳞集。”至光绪三十四年(1908年)，这里东南三乡的户数已达到了16 449户。

三

林氏家族的到来，使三林这片土地繁盛绵延。而在三林千年的发展历程中，至少还有一个名字需要被铭记，那就是储昱。储昱生活在明代，三林人，官至江西布政使参议。松江太守刘琬曾请储昱至府中教授自己的儿子，并说：“化邦当自家始也。”，也就是说，要治理好国家，得先治理好自己的家。储昱回家见到父亲，转述了太守的话，父语重心长地对他说：“吾教女，岂欲独善其家哉？吾乡之人，拙者守农，巧者逐末，年未十五即弃学，甚者并句读不习，无惑乎礼仪之不明也。吾甚悯之，欲建乡塾以劝之，往来于怀，盖十年欤，而力不逮也。女其相吾，以裨吾守之风教可乎？”提醒他不要只想着自己“独善其家”，还要设法帮助乡里那些弃学的子弟读书成材，并把自己想建义塾的想法告诉了儿子。于是，储昱就在家乡的筠溪边兴办了筠溪义塾，劝学乡里。许多原本由于种种原因游荡在乡间的年轻人，都因进入义塾读书而彻底改变了人生。更重要的是，储家父子情系桑梓、崇文重学的涓滴意念，就此汇入了三林文脉的河床，成为后来流淌在世世代代三林人文化血脉中的共有基因。

清末民初，三林经商积财的有识之士纷纷倡导办学回馈民众，蔚然成风。清光绪二十二年（1896年），陈行贡生、教育家秦荣光、杨思“武举”周希濂、三林巨商“浦东财神”汤学钊一起捐募田款，四处筹措，仿照上海县城内敬业书院、龙门书院模式，将镇上的文昌阁及周遍的慈悲阁、城隍庙、慈善场所“和衷堂”等，改造创办了三林书院——三林中学的 前身。他们的这一义举，为当地现代文化教育开辟了先河，为百余年来三林子弟人才的不断涌现，建造了一个卓越的平台，还对整个浦东地区百年间的文教事业与人才培养贡献巨大。

还有三林著名的朱氏家族，族中一代代子弟都不约而同地投身教育。民国时期，青年朱孔文东渡留学，归国后著书立说，走上三尺讲台。同家族的朱天梵与其叔父朱孔长在西城隍庙创办贞固学堂，开三林新式学堂之先河。后来，朱天梵之子朱士充，以及朱士充之子，也都选择了教师的职业。

过去百年间，三林可谓藏龙卧虎，人才济济，凡政治、经济、军事、医药、文学、艺术，多有涉及，人才的涌现有力保障了三林在社会经济、文化等各方面的发展。试想，如果当地没有崇文重教的乡风，这一切将从何谈起？因此，尽管储昱的筠溪义塾早已化为尘土，然而储氏父子的义举却好似落花化作春泥，数百年间持续不断地为家乡护育出心系桑梓的簇簇繁花、累累硕果。

四

林氏家族的到来和储昱创办筠溪义塾，都是三林历史的高光时刻。三林千年的历史中，无疑还有许许多多个这样重要的时刻。它们如同一颗颗珍珠，在三林历史文化的河床中熠熠闪光。而这河床中汩汩流淌、连绵不绝的河水，就是三林醇厚深沉的地方文化，是三林人无数个春夏秋冬平凡又多彩的生活：

正月岁朝听鸟叫，糖圆熟了先斋灶。午饭彩头先买好。三林庙，烧香群赴喧呼闹。　　接过灶君儿倦少，待看夜走三桥到。四野塔灯光照耀。招人笑，挑盐婆扮形容肖。

二月梅残桃禁接，花朝群卉红条贴，虱蟹韭芽登盌碟。杨生叶，闻雷燕笱穿泥捷。一线风筝儿手捻，鹞灯入夜如星列，张帝诞防风雨雪。寒未绝，冻雨冻肉人人说。

三月清明非麦秀，平家桥放桃如绣，挂墓往来亲谊厚。家无有，典衣买肉芳樽侑。上巳听蛙分午昼，天晴十二丰年觏，崇福进香神默佑。风夜吼，龙华船泊愁眉皱。

四月蔷薇开满架，贩申蚕豆能高价，人食摊粞消蛀夏。蛙鸣夜，插禾割麦农无暇。吕祖乩坛神诞届，信男周浦纯阳拜，十六夜间阴黑坏。场麦晒，持耞扑打同闲话。

五月龙舟停已久，釜烧肉粽香闻牖，儿额雄黄书用酒。贪适口。枇杷华氏园中有。时里锄头劳女手，男丁耘稻蹲男亩，关帝磨刀今雨否。逢邻叟，共谈水旱分龙后。

六月有瓜瓜里过，乡人忍热田工课，村树飞鸣蝉箇箇。谁敢惰，踏车夜里歌声和。海会荷香今不播，梧桐桥满乘凉坐，薄暮蚊烟篱内做。谋醉卧，鱼虾早买新鲜货。

七月女儿花染爪，盘中茄饼同煎䊗，节届中元贪醉饱。肠痛绞，女巫云必将神祷。促织宵深啼不了，鹤灯宝塔空中矫，香插满庭烟缭绕。僧与道，沿街铙钹将钱讨。

八月灶神均祀面，日中犹热须葵扇，白露田毋飞雨见。龙野战，蛇精独怕棉将变。月色中秋明一片，斗香各庙烟迷殿。闸港看潮防浪溅。青苗宴，鼕鼕鼗鼓村人恋。

九月蚊飞魂梦静，登高可上泥墩顶，壮蟹待来横沔艇。愁雨冷，持杯赏菊银灯影。糕店买糕酸引领，雁声夜落芦滩迥，霜降岳王巡四境。旗枪整，健儿马会荒郊骋。

十月连朝忙庙祝，神巡射猎明灯烛，枫树红妍杨树秃。村水曲，扉开遥见砻新谷。最好冬前冰见渎，五风遇雨嫌相续，村设轧场声震屋。寒耐瘃，常偕织妇鸡鸣宿。

十一月间寒气逼，老厍树满飞鸦黑，冬至祭馀欢聚食。冰凝滴，羊裘幸已今朝得。觱篥西风云似墨，夜渔网埠誇能力，堆雪河豚肥美极。闲远觌，赵祠松柏犹青色。

十二月来将岁暮，担盘送礼儿童顾，年物统筹犹缺数。亲赴沪，汽车直达周家渡。祀灶做年随世故，财香包住财神过，除夕灯笼行满路。天未曙，谁家欢乐催锣鼓。

（清）陈师咸《渔家傲十二阕·岁时》

从正月岁朝的第一声鸟鸣开始，到除夕夜喧腾的锣鼓和满街的灯笼，年复一年周而复始的生活，那样平凡，又那样热气腾腾。三林这片古老的土地，没有名山大川，也没有奇花异草。然而，陈师咸笔下呈现出的繁花般的生命图景，却有着同样令人向往的魅力，因为其中饱含了三林人生生不息的文化基因。

内蕴深厚、丰富多彩的地方文化，是先祖们留给三林人共同的家底，从中涌现出一大批独具特色的非物质文化遗产。如今，三林是浦东新区非物质文化遗产保护工作的重镇，共有 12 个非遗保护项目。其中，1 项列入国家级非遗名录（浦东绕龙灯），5 项列入上海市非遗项目名录（“三月半”圣堂庙会、三林刺绣、三林瓷刻、三林老街民俗仪式、海派盆景技艺），6 项列入浦东新区非遗项目名录（三林“本帮菜”、三林崩瓜栽培技艺、三林酱菜制作技艺、三林标布纺织技艺、三林塘肉皮制作技艺、江南传统民居木作技艺）。

诺贝尔文学奖得主日本作家川端康成曾经讲过“我们的文学虽然是随着西方文学潮流而动，但日本文学的传统却是潜藏着看不见的河床”。文化传统对于每一个现代人而言，常常就像生命中看不见的河床。而我们的生命何其幸运，能够流淌奔腾在如此深沉宽广的河床之上。这份丰厚的家底，不仅要谨慎守护，更要科学而富有创造性地将它们发扬光大，从三林先民传承性的生活文化中，发掘独特的生存发展经验和人文精神，为今天的发展所借鉴。

说一说

你知道哪些著名的三林中学校友？请说说他们的故事。

小试牛刀

和语文老师、历史老师一起读陈师咸的《渔家傲十二阕·岁时》，提取其中的时间点与关键字，解析文化密码，制作一份图文并茂的“三林文化日历”，看看家乡的一年四季都有哪些有趣的节令、美食、习俗、仪式、生产活动、娱乐活动。

第二节　浦东绕龙灯

项目名称：龙舞（浦东绕龙灯）

项目类别：传统舞蹈

保护单位：上海市浦东新区三林镇文化服务中心

小热身

龙在你的心目中是怎样的形象？代表着什么？

在广袤的中华大地上，与龙相关的习俗活动不胜枚举，而龙舞（通常被称作“舞龙”）则是其中最为常见的表现形式之一。早在2 000年前的汉代，就已经出现了舞龙活动。如今，在全国各地，龙舞都有着广泛的流传。作为有着千年历史的古镇，三林地区也同样滋养出了独特的龙舞形式——“绕龙灯”。

“绕龙灯”是旧时上海浦东民众对舞龙活动的俗称。浦东绕龙灯是一种集舞蹈、民族鼓乐为一体的传统文艺项目，多出现在节日喜庆和求雨、禳灾、酬神、祈平安等场合中，往往与岁时节庆、庙会迎赛等一些世俗化的民间娱乐活动结合在一起，具有浓厚的民俗性。

三林地区的舞龙讲究艺术性和观赏性，将舞蹈艺术的肢体语言、戏曲的步法亮相、武术的精气神韵等融入舞龙的技巧中，表现了祥和、喜庆、欢乐、昂扬之美。无论是参与者还是观赏者，在这样壮观的场景下，都可以得到愉悦的主体情感抒发和满足。同时，身处上海商业氛围浓厚的背景中，浦东绕龙灯还被染上了别具一格的、强烈的近代都市色彩。

中国舞龙艺术特征的核心在于“圆”和“曲”。龙舞盘旋起伏、刚柔兼蓄的特征是通过线条的流动来呈现的，而线条的流动多变则又得益于其圆、曲的特征。“圆”往往给人以饱满丰富的美感，总是体现在舞龙整体的造型与构图之中；“曲”的美感则体现在流动性和运动感之中，富于变化的线条使龙舞的动态生动活泼、酣畅淋漓。在沿袭了传统舞龙特点的同时，浦东绕龙灯更要求舞得“活”、舞得“狂”、舞得“神”，以展现出龙的精、气、神、韵。因此，浦东绕龙灯对舞龙者的力度、幅度、速度和耐力和舞龙技巧都有着极高的要求，只有通过手脚并用、身心合一的默契配合，在技术和心理上经过长期的磨合，才能达到活灵活现、出神入化的艺术表现。

三林舞龙

现代浦东绕龙灯的动作是在传统动作上不断提高和发展的成果，包含“平绕”“站绕”“跪绕”“睏绕”“龙钻尾”“龙抢珠”“龙打滚”“跳龙”“龙脱壳”等十多种基本动作，以及“跑圆场”“龙摆尾”“小游龙”“大游龙”“菊花心”“九连环”等几种综合性的套式。从动作形态来看，主要分为“8 字舞龙”“游龙”“穿腾”“翻滚”“组图造型”等五大特色类型。通过对这五大类动作进行穿插组合，表现出神龙翻江倒海、翻云覆雨的矫健与灵活，呈现出龙的王者风范。

浦东绕龙灯使用的龙具通常都由舞龙艺人亲手制作，通常分为硬龙和软龙两种。硬龙主要用于观赏，如以花草为衣的花龙，以香火为衣的香火龙等。软龙则主要用以舞动展示，按照材料可分为布龙、草龙、纱龙等。在各种场合中，人们会运用不同材料的道具来塑造各种不同神态、风貌的龙灯。其中，最常使用的是长 18 米的布龙，龙体通常包含了 1 头 1 尾 7 节杆，另配 1 龙珠。

浦东绕龙灯的配乐形式同样令人耳目一新。浦东绕龙灯在音乐方面的传统是以大鼓、小鼓、大锣、小锣、镲、铙钹等打击乐器来进行现场音乐伴奏的，锣鼓节奏明快，热情奔放，编配灵活，气势撼人。舞龙者的动作、造型甚至停顿都与音乐紧密结合，相互呼应。铿锵的锣鼓不仅为舞龙队伍增添了威武气势和阳刚之气，也将龙的神威表现得酣畅淋漓。同时浦东绕龙灯的音乐，也并不局限于传统锣鼓伴奏这一单一形式，而是转而将民乐中的吹打乐与带有强劲节奏感的现代音乐相糅合，形成多样的风貌。

三林舞龙

三林地区的绕龙灯之所以面貌独特，与三林旧日的丰饶繁盛也是息息相关的。其中，最负盛名的就是旧时三林镇一批“挑行口”帮（即搬运、装卸工人）组成的舞龙队。三林镇土地肥沃，农产品也十分丰富，手工业也极为发达。农业与手工业的发达相应便带来了商业贸易的繁盛，在三林来来往往的商贩也就多了起来。旧时的信息流通远非如今那样发达，因此，这批流动性强的商贩群体在当时便能够走南闯北，可以说是视野开阔、见多识广。同时，来回奔波的经商历程对商贩的身体素质也提出了较高的要求，因此，他们大多体魄强健。随着广泛而经常地参与各种传统活动，尤其是舞龙这类参与度极高的集体性项目之中，这批商贩也很快成为这一活动的支柱和翘楚。正是由于这群体的加入和他们的见多识广，三林地区的舞龙不但显得更为强健雄劲，而得以吸收、融汇、变化，使舞龙的技艺日渐发展，更趋复杂、精巧，同时，十分强调美观，绕龙灯也渐渐浓缩了较高的技巧，极具观赏性。因此，三林地区的舞龙名声便渐渐地向着四面八方远播，后来凡周边乃至上海许多地区的重大庆典活动，必邀三林人来舞龙。最为著名的便是声震华东、上海地区的大型出会活动：上海浦东“钦赐仰殿”的“三百六十行出会”。

据三林镇的老人们回忆，在年幼时，他们都曾随着家人参加组队许多次庙会与出会。有人记得，当时三林地区不但乡乡、村村都各自备有“龙”以供出会、祭祀、新年、元宵、庆典等场合作行街、巡三林等展示之用，有些条件较好的乡、村还有二条，甚至多条龙，而且制作精美、华丽，装饰非常考究。因为在那个年代，舞龙之时除了比试技艺，有时更带有一种炫耀和斗富比艳的色彩，所以三林地区的绕龙灯也就在不断的发展中变得更富艺术性，而龙本身的样式与造型也极富装饰性，浦东绕龙灯也就具备了极高的观赏价值。特别是在两队狭路相逢时，是一定要比试一番、分出高下的，这时群众便能一饱眼福：华丽的装饰和舞龙技艺，但在这淋漓尽致、激动人心之际，大家却又往往因难分高下引起的相争不快而叹息不止。

旧时的三林舞龙深深地影响了三林的祖祖辈辈，而且也成了三林的一个传统，当时他们多居住于三林西部，三林舞龙也正是以西部一批人为代表，历代高手辈出。后来由于种种原因，绕龙灯这一传统活动一度低迷，陷入停顿，几乎从百姓的生活中消失。但与其他艺术形式不同的是，舞龙的参与度与普及度是极高的，因此，即便是在坐冷板凳的日子里，龙舞也依然存有着能重新燃起的火种。三林人对龙舞这一传统艺术形式有着特殊情感依赖和传承，同时，传统的生命力也极其强韧，正如“龙”的精神一样，是永远不会熄灭的。在遭遇困境蛰伏之时，三林的龙舞也在默默寻求着重新展现在世人面前的方式与契机。

改革开放后，三林龙舞也随着大好的形势迎来了新生，而浦东绕龙灯的代表性传承人陆大杰[①]便不断努力，将传统的绕龙灯推入新时代。在三林深厚优异的舞龙传统的熏陶中，陆大杰一方面继承一方面求变，成为海派舞龙的创始人，也使三林舞龙在竞技舞龙的赛场上大放异彩，参加世界龙狮竞标赛、国际龙狮邀请赛、亚洲龙狮锦标赛、欧亚龙狮锦标赛、全国体育大会、全国农民运动会等国内外的重大赛事，截至 2017 年，共获得金牌 62 枚，银牌 17 枚，铜牌 1 枚。

多年来，三林舞龙队在舞龙理论研究工作中也投入了大量的心血和精力，起草撰写了《中国舞龙竞赛规则》《国际舞龙竞赛规则》；创编了《中国舞龙竞赛规定套路》《国际舞龙竞赛规定套路》，深受世界舞龙爱好者的欢迎，也使得浦东绕龙灯这一独特的民间艺术形式在当代以竞技舞龙的形式被更广泛地知晓与传承。2001 年，三林镇被文化部命名为“中国民间艺术之乡（舞龙）”；

---

① 陆大杰（1949—），男，汉族，上海市浦东新区人，国家级非物质文化遗产代表性项目“龙舞（浦东绕龙灯）”代表性传承人。

2004年，被国家体育总局社体中心中国龙狮运动协会授予“中国龙狮运动之乡”的称号；女子舞龙队被全国妇联、国家体育总局授予“巾帼健身特色团队”的称号……

当我们步入节奏飞快的当代生活中，当我们和传统的生活方式渐行渐远时，或许有人会问，浦东绕龙灯等传统表演艺术在当代的日常生活中真的还有存续的必要吗？答案是必然的。直到今天，中华民族依然自视为“龙的传人”，而纵观中华民族的许多传统、习俗、信仰等，龙的精神脉络也是始终贯穿的，对龙的敬仰已经渗入生活习惯、民间习俗的方方面面。当前，“龙”本身饱满积极的内涵寓意在当今依然推动着中华民族不断砥砺奋进、勇往直前。

就流传范围和参与性而言，舞龙这一独特的民间表演艺术形式可能是世上任何一种传统的民间表演形式、行为都是难以与之相较的。不管作为教化的方式还是健身娱心，龙舞依然在与民众最密切的地方发挥着作用。同时，龙舞的价值在当代也不断拓展着，传统的审美取向在舞龙中得到了进一步的延续，而作为一种传统，龙舞被赋予的民族凝聚的功能也得到了强化，龙舞已经成为中华民族的一种文化自觉，它不只表达着中国人的昂扬喜悦，同时在当代也成了中华儿女的精神纽带以及国家安定、人民祥和的文化象征。

小田野

采访三林舞龙队队员，听他们解析舞龙的诀窍与奥秘，分享舞龙的辛酸苦辣。

小试牛刀

邀请体育老师与三林舞龙队指导，与同学手握龙具，学习一个舞龙基本动作，体验浦东绕龙灯的奥秘与趣味。

趣味拓展

陆大杰，《浦东绕龙灯》，上海人民出版社2017年版。

第三节 “三月半”圣堂庙会与三林老街民俗仪式

项目名称：“三月半”圣堂庙会

项目类别：民俗

保护单位：上海市浦东新区三林镇文化服务中心

项目名称：三林老街民俗仪式

项目类别：民俗

保护单位：上海三林塘老街投资发展有限公司

小热身

你赶过庙会吗？庙会上都有哪些特色活动？

“三月半”圣堂庙会

圣堂庙会渊源深

崇福道院，俗称“圣堂”，地处上海市浦东新区三林镇北。相传原是三国时期陆逊为其母所建的家祠，宋宣和元年（1119年）赐额“崇福道院”，主供真武大帝，后屡毁屡建。

庙会原定于主神真武大帝的圣诞日——农历三月初三举行，后因清代上海桃园多，便顺延至桃花盛开的三月十五举行。因此每年农历三月十五这一天要开始举行一年一度的大型综合性庙会，为期三天，该庙会又被称为“圣堂三月半庙会”或“圣堂庙会”，本地百姓称“三月半场”。三林名人朱天梵的《忆童趣竹枝词》中有诗为证：“岁岁节场三月半，蚩蚩商贩八方来。圣堂香火腾云雾，五里喧传郁闷雷。”

据《上海县志》记载，圣堂庙会始于明代嘉靖年间，场面非常壮观，北到杨思老街，南至三林老街，南北有三里路，商贾云集，货摊、小吃摊鳞次栉比，道院内钟声齐鸣，香烟缭绕，故历来被文人雅士称为“三林芳春十景”之一，民间有“三月半，上圣堂”和“烧烧圣堂香，投个好爷娘”之谚。

1954 年农历三月十五，圣堂庙会首次由三林乡主办，称作“三林城乡物资交流大会”，以替代历史上每年的三月半圣堂庙会，为期三天。“文革”时期庙会停办。1987 年，圣堂重新恢复开放，“三林城乡物资交流大会”也随之恢复。1992 年起，“三林城乡物资交流大会”又更名为“圣堂庙会”，并首次搭建庙会牌楼，设摊 400 多个，从浦西、湖州、杭州等地远道而来的客商，搭起露天帐篷，场上横幅亘空，彩旗迎风猎猎，吆喝声、叫卖声此起彼伏，顾客如潮，盛况空前。1997—2005 年，由于地区开发拆迁的影响，庙会活动曾一度中断，直至 2006 年 4 月，三月半圣堂庙会才再度恢复。

庙会活动特色多

自圣堂庙会开创以来，形成了许多具有传统民俗文化特色的活动，主要项目有撞钟祈福、道教音乐演奏、道教仪仗出巡、绕龙灯、行街表演、商贸活动等，具体表现形式如下：

1. 撞钟祈福

奏道乐，法师出场，朝拜神位，法众唱香偈。而后法师率众瞻仰神灵威仪，宣读祈福文书。最后由法师上坛上香，撞钟，完成祈福仪式。

2. 道教音乐演奏

圣堂道教音乐的构成主要有以下几部分：

①纯道教音乐，如《步虚》《祝香赞》《香赞》等；

②源于民间戏曲的音乐，如《大开门》《朝天子》《小开门》等；

③源于宫廷乐的音乐，如《迎仙客》《瑶坛谒》等。

3. 道教仪仗出巡

道教仪仗队是三月半圣堂庙会的特色，具有鲜明的“道教文化”特征，组成如下：

①开路旗队伍：高举幡旗；

②鸣锣开道队伍：两面锣，鸣锣开道；

③乾道仪仗队：手举长幡，长幡上书写着“国泰民安”“风调雨顺”“安居乐业”等；

④坤道仪仗队：坤道手持道教仪仗兵器，如刀、剑、叉等；

⑤道教音乐队伍；

⑥道教服饰展示队伍：道教服饰有许多式样，每一种式样总是服务与科仪和活动场面的需要，比如忏衣是道众念经拜忏用的，表衣是法师步罡送表文时用的；

⑦星旗护驾队伍：举二十八宿旗帜护佑平安；

⑧信徒队伍。

4. 绕龙灯

“绕龙灯”是旧时民众对舞龙的俗称，其原始意义是一种具有龙崇拜特点的民间祭祀活动，具有求雨、禳灾、酬神、祈平安等多种宗教意义，往往与岁时节庆、庙会等一些世俗化的民间娱乐活动结合在一起，具有浓厚的民俗性。每逢农历三月十五，圣堂庙会举办之时，附近村庄都有舞龙队前来表演，有草龙祈天求雨，有香火龙驱邪除灾，表演前先到寺庙祭拜神灵，祈求苍天解民之危、保佑来年风调雨顺等。

5. 行街表演

在农历三月十五正日，在圣堂庙中祈福仪式后，会有一支行街队伍从圣堂出发，在周边道路进行行街表演，其形式为：

①道教仪仗出巡；

②民俗文化表演：江南丝竹、抬花轿、大头娃娃、茶酒担、嫁妆独轮车、标布进京、崩瓜担舞、打莲湘、腰鼓、福禄寿、八仙过海、西游记、倒骑毛驴、鹬蚌相争、荡湖船、荡龙舟、鲤鱼船、彩鱼虾兵蟹将、彩蝶舞等；

③传统戏曲表演：

沪剧、越剧、黄梅戏、淮剧、京剧等。

2007 年 3 月，浦东新区文广局就将圣堂庙会列入为浦东新区首批非物质文化遗产保护项目之一。目前，圣堂庙会已入选上海市非物质文化遗产名录。

如今，圣堂庙会从商业型庙会逐步走向文化型庙会。2008年4月，圣堂庙会更名为“三林民俗文化节暨三月半圣堂庙会”。2012年，再次更名为“上海民俗文化节暨三月半圣堂庙会”，且每届庙会都设主题，不但庙会规模更大，而且内容更加丰富多彩，集中展示了浦东三林地区的民间艺术和民俗文化。今天的圣堂庙会在上海市内形成了广泛的影响，在政府部门的支持下，已成为三林镇的文化名片，同时也是上海市群众性节庆文化的招牌性项目之一。

三林老街民俗仪式

三林老街民俗仪式包括上元出灯、中秋祭月、城隍出巡等仪式，这些仪式都按照民间传统习俗在三林老街举行，世代承袭。据记载，三林老街发祥于北宋末年，鼎盛于明清，在历史上就有“长街三里，店铺千家”的美称。

上元出灯仪式为每年农历正月十五元宵节，三林塘民间素有“上元出灯”之说，元宵时节，三林老街由商会组织将彩灯叠成灯山，花灯焰火，金碧相射，锦绣交映。大街小巷中、茶坊酒肆间，灯烛齐燃，锣鼓声声，鞭炮齐鸣，游人于老街中歌舞百戏，甚是热闹，上元出灯仪式可谓“万家灯火元宵闹，一碗汤圆瑞气盈”。长长的出灯队伍中有舞龙舞狮、荡龙舟、塔灯杆、掇盘、挎杭篮、敲团箕、煺野猫洞、板灯龙、挑灯笼、举灯笼、兔子灯、荷花灯。此外，当地民众素有吃元宵、赏圆月、闹花灯、猜谜语、迎紫姑等延伸活动。上元出灯仪式寄托着三林人追求团圆和美满的愿望，观灯赏月、猜灯谜、活泼欢跳的舞狮舞龙以及色彩斑斓的礼花，将春节的喜庆气氛推至顶峰。

上元出灯仪式

中秋祭月仪式为每年农历八月十五，仪式的核心为拜月、赏月和团圆庆贺，该仪式源自古代对月神的祭祀，是汉民族祭月习俗的遗存和衍生。中秋当天，三林老街祭月仪式临塘而举，除了摆放香案、诵读祭文、上香祈福，还有投壶、斗蟋蟀、皮影戏、文昌祈慧、走三桥、猜谜语、打金索、做塌饼等民俗活动，颇受民众喜爱。

三林城隍出巡

城隍出巡仪式为每年农历十月初一，出巡时随从仪仗颇盛，仪式非常隆重。隔夜，信众宰三牲煮豆羹、点烛焚香、叩夫妻成双头，精挑的16位抬城隍的伙计要沐浴更衣并且仪式开始前三天均不得夫妻同房。是日清晨，鸣钲放炮，到庙中迎城隍老爷出巡。城隍出巡时所经过的三林老街上的桥、弄及拐弯处均设供桌，并取一空旷处设大供桌，由临时祭司诵读祭文，当地百姓叩首上香燃锡箔，沿途百姓和商家在自家门前设供桌祭祀城隍老爷，并燃放爆竹。仪仗队中除了有颇具地方色彩的执事仪仗（如大肚刽子手、阴皂隶、女犯、拜香会等），亦有传统的民俗表演，如彩龙、鲤鱼、腰鼓、荡湖船、猪八戒背媳妇、蚌壳精、海派秧歌、挑花篮、打莲湘、台阁等。

圣堂庙会、三林老街民俗仪式的存续状况及当代价值

崇福道院作为三林地方道教活动的主要场所，是传承民族文化、地域文化的载体，以道教活动为核心的圣堂庙会活动娱神娱人，已成为当地民众的精神依托；是展示传统民俗文化的舞台，对于保存和延续中国传统民俗有着重要作用。总之，庙会是一个“延续传统、服务当代、造福后裔”的灵魂工程，雅俗共赏的圣堂庙会，具有鲜明的地域特色，有利于现代文化和传统文化的融合，可以为社会和谐创造融洽的人文环境。

三林老街上元出灯、中秋祭月、城隍出巡等仪式，贴近民众社会生活与精神生活，有着符合民众生活需要的现实意义，其重要价值主要体现在以下三个方面：首先，三林老街作为一个重要载体，对本地的文化、仪式、习俗的延续起到了关键作用；其次，上元出灯、中秋祭月、城隍出巡等仪式，包含了千年来形成的传统音乐、舞蹈、戏曲、曲艺、民间文学、美术、技艺等，正是这些仪式使得这些传统延传至今；再次，三林老街民俗仪式不是体现在书本上、存放在博物馆里，而是在当代社会活态传承着，成为三林当地民众日常生活的一个组成部分。综观圣堂庙会和三林老街民俗仪式的存续现状，二者都面临着一些问题。当前，崇福道院以自养为主，经济收入大部分来源于信徒供养，然而一年一度的庙会活动需要经费保障，单凭道院自身来做好庙会的各项工作，存在一定的困难；除此之外，随着城乡一体化的加快，庙会周边地区高楼林立，小区住宅聚集，使庙会活动空间越来越小。和圣堂庙会一样，三林老街民俗仪式的延续也面临着难题。传统村落的动迁使三林老街民俗仪式的展演空间逐步缩小，同时，网络的便捷也使得各种网络信息平台逐步取代了传统的祝福和问候方式，长此以往，传统的仪式活动难以激发民众的兴趣，传统民俗的传承也面临着危机。

说一说

有人认为庙会和传统民俗仪式在当代社会已经没有存在的必要，你怎么看？

小田野

参与一次庙会活动或民俗仪式，感受民俗活动的魅力。记录活动的具体流程、特色项目等，思考可以采取哪些措施更好地延续这些庙会活动或民俗仪式？

趣味拓展

城隍老爷为何要出巡

按照中国传统民俗，一年当中，城隍老爷会有三次出巡，分别是清明、农历七月半和十月初一（又称十月朔），统称为“三巡会”。

“三巡会”的出现始于明代，是官方设置的一个国家级别的祭祀仪式。据《明史》记载，自明代开始，上到一国之君，下到地方官员，都要将“三巡会”列入工作的日程。“三巡会”源于祭厉鬼。厉鬼在中国信俗观念中是指那些无后辈定期祭祀的孤魂野鬼，因无人祭供他们，在阴间受冻挨饿，于是就要到人间作祟，因此，在我国很早就形成祭厉鬼的习俗。明代建立以后，朱元璋整顿祭典，城隍既为冥官，孤魂野鬼理所当然成了他的臣民，于是祭厉鬼时必须要请城隍，由他主持祭祀，认为这样做才能安抚和震慑厉鬼。这种现象的出现，实际上是以人世比拟冥界，以人世“构造”冥界的直接结果。城隍老爷作为官方认定的“冥府主管”，为了国家安定，奉命安抚孤魂，威慑邪祟，同时要了解民间疾苦，于是每年的“两祭三巡”就成了城隍老爷和人间父母官的共同任务。

在我国民俗中，与鬼接触最近的三天便是清明节、农历七月半和十月初一。清明节，人们要祭祀亡故亲人；农历七月半是佛教盂兰盆节，也是道教的中元节，这一天佛道两家要“慈航普度”，为亡灵烧法船、点河灯，送他们去极乐世界；农历十月初一是农闲时分，以阳间的心理对照阴间，人们觉得此时也应该让拘禁阴间的鬼出来散心、活动。城隍老爷在这三个时间出巡，一是为了赈济幽魂；二是对孤魂野鬼提出警告，不准其胡作非为，保障阴阳两界各归各处，顺利平安；三是人们想借城隍出巡“戴罪”还愿，寻求心理安慰。人们在城隍出巡时准备各种民俗表演和活动，是为了娱神娱人，人神共庆。长此以往，城隍出巡便成为全城性的、由官府出面组织的、全民参与的祭祀厉鬼、祈求保护全城安宁的大型活动。

第四节　海派盆景技艺

项目名称：海派盆景技艺

项目类别：传统技艺

保护单位：上海市浦东新区三林镇文化服务中心

小热身

你见过盆景吗？盆景和盆栽有什么区别呢？

盆景技艺是一种传统的人工置景手段，它将植物、奇石等种植和布置于盆内，经过艺术加工使之成为浓缩自然美景的一种陈设品。盆景制作技艺综合了园艺、奇石和美石鉴赏、雕塑造型等众多工艺技巧，成为一种源于自然又高于自然的艺术创作。

盆景起源于观赏植物，早在商周时代便有了观赏名木、花卉的习俗。汉代已出现“构石为山”的盆景，这一点在汉墓壁画上可以找到不少证据。魏晋以来，盆景制作取得了较大发展。至唐代，盆景成为富贵家庭的陈设品，当时的许多壁画和绢画都反映了这一状况。入清以后，传统的盆景艺术得到长足发展，进入了兴盛时期。清代末期，由于社会动荡不断，盆景技艺的发展几度中断。改革开放以后，由于经济发展和各级政府部门和民间团体、个人的重视，逐渐恢复。

我国的盆景艺术主要采用“类、型、组、式、号、名”[①]的六级分类体系，它们分别对应盆景的材料种类、造型布局的重点、造型布局的技法特点、结构形式、体量大小及景名。其中，最主要的大类类别分为树木盆景、山石盆景和树木山石盆景三大类。

树木类盆景数量最多、流行最广、历史最久远，主要用材为树桩；山石类

① 周政华，李怀福.论中国盆景系统分类法[J].花木盆景(盆景赏石)，2002(05):16-19.

盆景主要构成材料为山石（或以朽木为石，或以陶土为石），也可以伴以水、土、沙等摆件；树木山石盆景是目前中国盆景发展和艺术创新的主要方向，以丰富的内容体现自然之美。

而依据地域划分，我国盆景又有若干流派，主要的几派有岭南派、川派、扬派、苏派、海派、如皋盆景等。尤其是在改革开放以来，传统流派有了进一步的发展，并不断出现新的流派，形成百花竞艳的大好局面。

至少在明代隆庆、万历年间，上海已有艺人群体在上海地区进行盆景的制作，并已初具规模。上海属亚热带季风性气候，四季分明，日照充分，雨量充沛，具有适宜发展盆景的自然条件。文化上，这里属于江南文化的范围，自明代起文人盆景一脉就自成气候；开埠以来，城市繁荣发达，使其对文化艺术方面的接纳与吸收广泛而又频繁，具备海纳百川的胸怀与气度，也成就了上海盆景兼有江南文化细腻入微的特点与兼容并包、意境辽阔的特色。

筠园内的盆景作品

海派盆景主要分布于上海市及其周边地区，自古与人们生活密不可分，过去家庭也有栽培盆景、美化庭院的要求。随着城市化发展加速，居住空间压缩，盆景、园艺才渐转向专业空间。现主要有两大核心区域：一是上海植物园为代表的专业队伍。新中国成立后市政府聚集了众多艺人对海派盆景进行技艺、理论钻研，尤以树桩盆景成绩斐然。二是以浦东三林临江村 30 号“筠园”为代表的家庭“文人”盆景。“筠园”位于三林塘古镇西侧，明清时交通便捷，经济发达，户户皆诗书传家、庭院典雅。“筠园”主人世代受此熏陶，行医崇文，爱好盆景，传承不怠，在当代更创新出树石盆景风格，受业内关注。

海派盆景以树为主体，对树的自然形态的追求达到了极致；又以石为托物言志的载体，赋予山石以灵气和生命力，“师法自然，沧古入画”。在美学上参考对中国传统山水画，继承了其人文精神与笔墨情趣，入画又如画的盆景让人的出世精神有了寄托，观盆景有如游历山水间而忘我，具有极高的艺术和精神价值。吸取了各派盆景之长处，又依托灵秀精巧的江南文化和海纳百川的上海文化发展出了独具一格的艺术特点，“虽由人作，宛若天开”，盆景集中反映了制作者对“自然美”的理解和感受。自然景观千变万化的，要在咫尺盆钵内展现大自然的风采，增强美感效果，合理布局是至关重要的。海派盆景的布局，非常强调主题性、层次性和多变性。对山的高低树的参差，岸的曲折；坡的陡缓，水面的狭阔，以及虚与实、远与近、动与静等自然风采神韵，都表现得淋漓尽致。

传承人庞燮庭在修剪盆景作品

作为中国盆景体系中不可或缺的一部分，海派盆景具有其独特价值。历史方面，海派盆景作为上海文人文化的缩影，是上海历史的活体见证，为人们了解上海历史和地域文化提供了很好的窗口。审美方面，海派盆景工艺大师擅长利用摆件、角度、光线和水源营造不同的意境，表现植物蓬勃的生命力，使观赏者精神为之一振。这一审美效果目前已应用与心理治疗中，为抑郁症患者带去福音。文化方面，海派盆景是上海文化的重要组成部分，上海盆景工艺大师将“深厚含蓄，静默内敛”的文人精神融合于盆景造型中，促进二者相互呼应、相得益彰、物我两化。在自然环境日益恶化的今天，这种天人合一的思想能够启发我们回到历史的智慧中寻找办法，以解决当下人与自然关系的困局。近年来，上海盆景所获荣誉无数，在国内外声名远扬，这不仅是对上海盆景技艺的肯定，也鼓励更多的人认识并热爱这门古老的艺术。

海派盆景和上海园林同为海派文化的重要组成部分。在艺术风格上，海派盆景承袭上海园林以小见大、以简代繁、以浅见深的风格，师法自然、不拘一格、宛若天成；在审美意境上，海派盆景营造出的曲径通幽的意蕴、移步换景的多角度欣赏也是上海园林精神的体现。海派盆景与上海园林相辅相成、相得益彰，共同体现了江南文化的气质和神韵。海派盆景善于利用各种摆件来彰显画面的比例，设置纵深感，引人入胜，吸引观赏者与之融为一体。观赏时，不同的角度、光线甚至浇水与否都可营造出不同的意境，可谓千变万化，时刻带给人耳目一新的感受。

日本盆景

不同于部分过度“矫正”树的自然形态以符合“人工”趣味的流派（比如扬派盆景根据中国画“枝无寸直”的画理，把云片中的每个枝条都扎成细密的蛇形弯曲，最密处每寸可达三个弯，而叶片保持平行而列，有如片片云朵，称“一寸三弯云片式”；又如当代日本盆景喜好给树剥皮以便露出白色的枝干，追求简洁的造型，体现其“繁华易逝、美好短暂”的“物哀”情节，但实际上对树材本身的伤害非常大，通常活不过几个月），三林海派盆景更倾向于表现植物蓬勃自然的生命力，强调人与自然的共同生长，不但强调养育修剪者充分尊重“自然之美”、稍加人工培育，也旨在使观赏者的精神为“人与自然和谐之美”而振奋。更重要的是，树木的持续生长也带来了动态的欣赏过程，其时刻彰显昂扬的精神气质，具有极高的欣赏价值。

对远离大自然的当代都市人群而言，这些源自中国传统审美的植物作品，在文化上天然更容易让人亲近，还能为人们带去心灵上的抚慰。或大或小的一件件盆景艺术作品，不但凝聚了传承人们十几年如一日的心血，传递了“文人气节，君子气节，物我两化”的精神，更是历史和传统审美的当代见证者与承载者。

虽然盆景起源于中国，但却主要因日本盆栽才风靡世界。日本盆栽“先声夺人”，故而国际盆景界将盆景（Penjing）称为日本流行叫法“盆栽”（Bonsai），并在日本盆栽影响下，相继成立以日本为中心、各国参加的世界盆栽友好联盟（N-B.Λ），以美国为中心、各国参加的国际盆栽协会(B-C-I)，并由两大国际盆栽组织，推动国际盆栽的发展。改革开放以来，中国盆景逐步走向世界，国际盆栽界才初识中国盆景。

国际盆栽在日本盆栽的影响下，以树木盆景为主体，着重欣赏形象美；造型则学习日本盆栽通过应用金属丝剪扎手段，将大自然孤木或丛林浓缩在盆中，尤喜学习日本盆栽人为再现“舍利”“神枝”手法，创作苍古盆栽。由于国际盆栽着重欣赏形象美，故展览时只标树种、学名、规格、作者或收藏者。

而中国盆景强调欣赏“盆中的风景”，不仅具有形象美(源于自然)，同时表现意境美(高于自然)，使人们得到艺术美的享受，以达到“源于自然，高于自然”“神形兼备，情景交融”的艺术效果为最佳作品。讲究通过形象表现出来的境界和情调，诱发欣赏者思想的共鸣，进入作品境界的意境美。因此，中国创作盆景都有题名，通过题名，概括作品的意境特征、神韵，表达主题，使欣赏者顾名思义，对景生情，寻意探胜。

有人在意日本盆栽（Bon-sai）之名在国际上的“以讹传讹”，有人为欧美人误将日本认作盆景发源地而感到愤愤不平。但仅凭考证历史显然是无法获得在艺术上的发言权的。近年来，亚洲国家的盆景艺术后来居上，欧美盆景艺术水准也渐渐逼近。面对此情此景，作为盆景艺术发源地的中国，更应表现出坦荡、从容的文化气象，努力发扬当代盆景艺术，宣传中国盆景艺术的美学理念，这样才能带领世界盆景艺术走进新的境地。

说一说

除了海派盆景外，中国还有苏派盆景、扬派盆景、川派盆景等。世界范围内，欧洲盆景、日本盆景也占据着比较重要的位置。利用网络资源了解这些不同流派、不同国家盆景的特点，和中国的海派盆景作个对比，说说你通过这些盆景作品看到了什么。你更钟情哪一种审美呢?

第五节　三林瓷刻

项目名称：三林瓷刻

项目类别：传统美术

保护单位：上海市浦东新区三林镇文化服务中心

小热身

你家用的瓷质杯盘碗盏上有没有刻划的纹饰？如果有机会定制，你想在上面刻些什么呢？

瓷刻，又称刻瓷，偶称剔瓷等。晚清民国时期，手艺人多称刻瓷，为民间俗称。刻与剔，则是因工艺流程之异。瓷刻与刻瓷的区别，主要是南北方艺人对这一传统工艺的称呼习惯不同，如北京艺人时常瓷刻、刻瓷混称，以刻瓷为主，而南京、上海等南方多谓瓷刻。

瓷刻出身不普通

一般认为，瓷刻源于宫廷手工艺，形成于清代中期。清朝的乾隆皇帝曾创作了数量丰富的咏陶瓷诗，如《咏龙泉窑碗》："越冶无夏雪，龙泉存晓星。中规体月魄，尚质色天青。珍自等瑶璧，德犹宗图硎。浇书取适可，讵必斗茶经。"为了将这些御制诗保留下来，宫内的雕刻匠用以钻石为刀头的工具，将诗句錾刻于瓷碗表面，再用墨着色。

清末，京师工艺局设立，下设农工学堂。农工学堂是半工半读的模式，即培养有文化知识、有工艺技能的学生，其中，工科的专门学科有漆雕刻、绣工科、印刷刻、刻瓷科等。刻瓷科的教学是由从上海聘请的著名雕刻家华约三（华法）。之后，清政府教育体制改革，农工学堂由官办改为商办，原刻瓷科毕业的学生朱友麟被聘为教师，继续教授刻瓷工艺。及至民国初年，教学停办。朱友麟等转入个人经营的形式，刻瓷从官学走向民间。在当代的工艺分类里，瓷刻归为特种手工艺类别，特种手工艺是宫廷手工艺在当代的说法。

瓷刻有南北二派之分

20世纪著名的瓷刻艺人朱友麟在1943年，写下《追述我的刻瓷经过》一文。在这篇自述文章中，他回忆说在农工学堂刻瓷科学习时“刻瓷的教授乃是上海有名的雕刻家华约三先生，彼时的刻瓷一术即分南北两派”，并且说华约三先生是“纯粹的南派”。南派、北派差异主要是因工具和刻法不同，南派刻瓷工具是在细铁条上镶上钻石或者铜，华约三用的是钻石刀。北派刻瓷工具是纯钢的刻瓷刀。刻法上，华约三常用三种刻法：单钩刻法、双钩刻法和起地单刀刻法。双钩刻法，是指字或画均由垒道的两边钩之，起地即是将双钩磁或漫漫起下。朱友麟先生说，“起地单刀刻法”最简单，在江西省锦泰镇（即景德镇）产器区的妇女小孩子们都能刻上几刀，“可惜洁白极细的瓷皿，给刻成一塌糊涂，无味已极”。瓷刻山水人物题材以钻石器具为主。北派刻法，则大多数是錾刻写意花卉、汉瓦古钱、钟鼎隶字等。北派刻到妙处，多呈现出苍劲古老、秀润可观的艺术效果，“胜于单钩双钩多多矣”。①

华约三晚清时期极负盛名，造诣很高，却鲜见有关他的文献记载。存世作品只有一件表现苏轼“湖上参禅”故事的瓷笔筒，创作时间大约是光绪二十六年（1900年）前后，这件笔筒据说是上海有名的瓷刻艺人杨为义收藏。

华约三擅长双钩刻法，与南京扬州的单刀刻法、北京的刮刀法成为三种各具特色的瓷刻技艺。其徒弟朱友麟、陈智光、戴玉屏等都是民国时期著名的瓷刻名家。戴玉屏为近代上海瓷刻名家，在上海城隍庙摆摊，给人绘画刻字，有“铁画银钩”之称。朱友麟和陈智光是华约三在农工学堂刻瓷科教授的学生，朱友麟主要在北京从事瓷刻艺术创作；1940年代，陈智光南下上海谋生。1940年代，朱友麟、朱啸山移居南京，继续从事瓷刻艺术创作，带徒授艺。上海瓷刻名家华约三北上农工学堂，陈智光、朱啸山南下继续从事瓷刻艺术创作，这些艺术

① 朱友麟.追述我的刻瓷经过（附图）.新民报半月刊[J].1943(5-10):19.

造诣精湛的名家艺人们在南北瓷刻艺术教育和交流的活动中，促进南北瓷刻艺术的交流和融合。当代上海地区从事瓷刻艺术创作的有三林张宗贤、普陀程培初及闵行朱榴生等。

书画刻一体的综合艺术

三林瓷刻是一门具有金石风格、融汇书画刻一体的综合性艺术。三林瓷刻文脉源深，在清光绪年间，三林镇儒商张锦山（现临江村宅河圈人），师从华约三学习瓷刻技艺。初期，张锦山只掌握了单道和双钩刻法；后来，借鉴景德镇瓷窑装饰技法，改进工具，使用高碳钢凿，在白釉素瓷上以双钩、刮磨等法，艺术表现效果更加丰富。20 世纪早期，时局动荡、民生艰难，在浦东文人圈流行的瓷刻艺术也渐渐消歇，仅张锦山之子张炳根还在继续创作瓷刻艺术，受身体影响，张炳根只能刻些瓷盘、花瓶等小件。

20 世纪 80 年代末，张锦山曾孙张宗贤，重拾家学技艺，恢复祖传瓷刻技艺的保护、创作和传承。张宗贤擅长书法和篆刻，长期从事园林绿化技艺。他将园林艺术融合到瓷刻的艺术创作中，经过多年不断挖掘、探索，形成独特的雕、刻、磨、皴、擦、染等方法，将多种刻法融汇运用到插屏等大件瓷刻艺术品中，将瓷刻艺术与厅堂居所的陈设结合，使这类大件瓷刻兼具艺术欣赏性和实用性。三林瓷刻在 200 多年的发展过程中，经过三代瓷刻艺人的传承创新，形成了具有独特风格的瓷刻艺术风格。

三林瓷刻的工艺流程是：首先寻找瓷刻用素材，或书或画，然后用复印纸，用铅笔勾勒临摹到瓷瓶、瓷板、瓷盘上，再进行钩线、凿刻、雕、磨、皴等技艺，钨钢刀或金刚石刀錾刻中国画或图案文字的技巧，其制作过程，先用刀尖刻出点线，注意点线痕迹的深浅浓淡，再在刻痕内填以墨汁或颜色，涂蜡。通过这种工艺，釉面瓷上镌刻出山水、花鸟等图画和书法，将传统书画风格呈现于光洁的瓷器上，获得不同于传统纸质书画的艺术风格和审美感受。

瓷刻艺术对艺人才艺素养的要求很高，朱友麟说：“学刻不学画，绝难刻到画的妙处，不学书亦难刻到书的精微。”因此，要想成长为一名有造诣的瓷刻艺人，学艺人应具有书法、绘画及雕刻这三种艺术的基本素养。三林瓷刻是用特制的钨钢凿或金刚石刀在各色釉面瓷器上錾刻出山水、人物或书法等图文的艺术，瓷刻艺人不仅要有绘画尤其是国画基础，还需要掌握雕刻技能，因此，瓷刻艺术被认为是源于雕刻艺术。与其他地区刻瓷艺术一样，瓷刻工具与材料均不同于一般绘画和书法艺术，故被认为是一种特殊的具有金石风格的书画艺术。

特种手工艺如何传承?

三林瓷刻，虽被归于“传统美术”类非遗，但毫无疑问，其中还包含着独特的传统手工技艺，又是特种手工艺，应当怎么传承呢？通过瓷刻艺术历史知识的学习，我们已经了解到清中期瓷刻艺术的发展、瓷刻精品的出现，主要是依赖于宫廷和文人墨客的喜爱和需求。时代在变化，人们的审美也在变化，瓷刻艺术有着良好的传统书画审美价值基础，在当代社会，瓷刻的传承需要有科学的态度，也就是要按照瓷刻艺术发展演变的内在规律去保护，去寻求促进其艺术传承创新的方法。

我国非遗保护指导方针是“保护为主、抢救第一、合理利用、传承发展”，针对不同类型的非遗项目，又有具体的保护策略，比如传统技艺类，一般是提倡生产性保护。瓷刻艺术如若能实现转向适合普通大众的审美和需求，那么瓷刻艺术将会迎来很好的发展前景。但是，在高度机械化的当代，瓷刻制作还无法实现以机械加工方式进行批量生产，短时间内也就难以实现其由精品化的宫廷工艺转变成走进千家万户的大众工艺品。

上海市级非遗项目三林瓷刻数十年来的保护传承工作，在实用、审美、民间化等方面取得了创新性影响和成果，对特种手工艺向大众艺术品的转向进行了有益的探索。在过去主要是文人雅士欣赏的基础上，三林瓷刻向实用性、老百姓日用生活化的方向发展。

不同于一般的艺术欣赏，三林瓷刻的艺术创作向民间倾斜，同人民群众的生活密切相关，如在家用的瓷盘、瓷碗、瓷杯、瓷瓶上刻上自己所喜爱的图案，再配以居家厅堂堂号，以区别于他人所有。三林瓷刻也重视表现与当代老百姓喜闻乐见的题材和审美，通过书画结合，图案底、文字面等形式表达当代民众的思想情感和审美要求，扩大瓷刻艺术审美的范围。如儿童捉迷藏、荡秋千、吹喇叭等图案，趣味性强、气氛热烈，又表达了祈愿五谷丰登、国泰民安的愿望。现代普通民众欣赏瓷刻艺术品，有对吉祥如意、美好生活等传统吉祥题材的审美需求，如三林瓷刻中传统神仙群像条幅，上海其他地区关圣、观音等瓷刻作品，也有将现代艺术搬演到瓷器上，以新材料新工艺来实现现代艺术的表达效果等。总之，在非遗保护传承的工作中，三林瓷刻通过扩大艺术题材、扩大实用范围、创新艺术表现的手段等方法促进瓷刻艺术的良好发展。

由于当代瓷刻艺人多数是来自社会基层的手工艺者，他们勤劳质朴，作品通常表现朴素率直的情感，富有朝气蓬勃的生命力，表现出当代三林瓷刻艺术深厚的民俗文化特色。例如，在材料跨界上，将瓷刻开创性地嵌入各种生活器具中，另配以红木底座、插屏，成为集生活、艺术欣赏一体的厅堂艺术。在题材上选择满足大众对幸福生活、美好未来、对现代文化艺术欣赏追求的图案等。

三林瓷刻作为三林地方独特的一门民间工艺，是艺术鉴赏价值与生活使用兼具的一种实用性艺术。历经200年的历史发展至今，当代三林瓷刻首先面临的是传承人的困境，这一传统手工技艺耗费人力财力，收入难以保障，瓷刻对入门者还有着较高的书法绘画和雕刻等素养要求等等，多方面因素导致瓷刻传承存在较为严重的后继乏人的情况。

小田野

去三林老街上看一看张宗贤先生的瓷刻作品，请老先生演示讲解瓷刻的奥秘。

趣味拓展

张宗贤：《三林瓷刻》，中西书局2016年版。

李俊玲：《北京刻瓷》，北京美术摄影出版社2015年版。

上海工艺美术研究所、上海工艺美术博物馆，杨为义瓷刻作品藏品

闵行区博物馆收藏朱榴生瓷刻作品

第六节　三林塘肉皮与三林本帮菜制作技艺

项目名称：三林塘肉皮制作技艺

项目类别：传统技艺

保护单位：上海市浦东新区三林镇文化服务中心

项目名称：三林本帮菜

项目类别：传统技艺

保护单位：上海市浦东新区三林镇文化服务中心

小热身

你吃过三林肉皮和三林本帮菜吗？觉得味道如何？

浦东白猪：皮厚而松

浦东白猪，主产于上海浦东新区的川沙镇和祝桥镇、六灶镇等地，是上海本地四大特有土猪品种之一，至今已有200多年历史。据《川沙县志》记载："浦东白猪皮厚而松，有养至200余斤者。"而要做一张好的肉皮，首先就要选一张好的生胚（新鲜猪皮），皮厚是入选的最重要的标准。后腿皮、背皮、肚皮，去除多余的油脂，拔掉皮上的猪毛，这些新鲜的猪皮便可以到屋檐下享受阳光雨露的洗礼了。

三林塘肉皮：低温油发

待这些猪皮风干之时，等待它们的是一场油的洗礼。低温用油将肉皮焐至表面出现均匀的气泡，猪皮在晒干过程中所承接的灰尘甚至霉烂在这个过程中被一洗而净。高温发肉皮，则是一场视觉的盛宴，一张张蜷缩在一起焐好的肉皮，随着油温的升高，便声东击西地起泡，然后用足力道伸腰踢腿，变戏法似的变成金灿灿好大一张。低温油发的传统技艺，赋予三林塘肉皮松、软、有弹性的特点。最好的肉皮，涨发率可以达到1∶20，甚至更高，涨发后可以达到1.5厘米左右。由于气泡多，气孔分布均匀，肉皮经水发后变得软绵而有韧劲，入锅旺火一煮，无数小孔就会吸足汤汁，本来作为辅料无味的肉皮一下子就变成了碗中的主角，可以金灿灿、颤悠悠地摆到餐桌的中心位置，甚至成为上海人年夜饭上“全家福”中重要的一员。

三林塘肉皮

对于老三林人，提起肉皮，他们的脑海中还会浮现儿时农村喜宴的场景。在物资匮乏的年代，没有几户人家可以豪气地用一大锅油来发肉皮，所以很多地方的肉皮是用盐发而不是油发。在三林四乡八邻趁着附近有人结婚，便会将屋檐下平时晾晒的几张猪皮带来，请帮忙烧喜宴的乡厨代为发制。当屋外空地上油锅架起，柴火烧旺的时候，好热闹的小孩总会围在油锅旁，因为肉皮发起那刻心底涌起的是不用吃就会记住一辈子的满足感。

铲刀帮：烧出三林塘的乡下风味

这些代人发制肉皮的厨师，在三林有一个霸气的名字，“铲刀帮”。刚开始的时候，在三林厨师并不是一个专门的职业，他们平时种地务工。每逢过年，或者村里有人家办婚丧喜事，他们就过去操办宴席。后来乡间大大小小的红白喜事多由他们承办，这帮本是业余的帮厨，便形成规模和程式，逐渐聚集起来，还得了个名字叫“铲刀帮”。“铲刀帮”的得名是因为掌勺的师傅手中所掌的“铲子”。过去浦东乡下都用大灶大锅，烧菜一般要用铲刀。“铲刀”就是锅铲，这种说法也算是三林当地较独特的，本地口音读起来，音似“菜刀”，听来有一种粗犷大气。李华春是清末民初三林塘最著名的民间厨师，是“铲刀帮”里的风云人物，也是后来被称为“本帮菜泰斗”的李伯荣的爷爷。李华春的时代，本帮菜谱大概是这样的：汤卷、腌余、辣酱、走油肉、白切肉、大白蹄、生烧草鱼、炒肉豆腐、咸肉百叶、炒鱼粉皮、肠汤线粉、烂糊肉丝、肉丝黄豆汤、大鱼头粉皮等。

饭摊帮：乡下风味在上海老城厢站住了脚

后来上海开埠，许多三林人到上海老城厢里开设饭摊。“浓油赤酱重油水，赤膊台子毛竹筷”，就是“铲刀帮”刚进入上海老城厢时最生动的工作画面。由于条件有限，他们所烧的菜式都是最普通的家常菜，又因为过去老城区里光临“铲刀帮”饭摊的几乎全是人力车夫、码头工人等体力劳动者。他们生活辛苦，干重体力活的，流汗多，喜欢重油重盐的口味，饭菜若是清汤寡水，就觉得店家不舍得放料，盐加得多他们不承认，酱油多才承认，颜色红了就承认了。善于学习的铲刀帮就借鉴了当时在码头上占据半壁江山的徽菜的特点，“重油、重色、重火工”，渐渐发展出了“亲民实惠、浓油赤酱”的本帮菜。“荣顺馆的禽类、德兴馆的干货、老正兴的河鲜、同泰祥的糟货”，荣顺馆（创建于1865年前后）、德兴馆（创建于1883年前后）、老正兴（创建于1908年），同泰祥（创建于1930年前后），这批老字号的本帮菜馆的建立，为上海本帮菜的形成与发展奠定了重要的基础。其中，荣顺馆与德兴馆两家都与三林“铲刀帮”渊源颇深。

德兴馆：李林根的“市肆菜”管理流程

本帮菜中，“德兴馆的干货”能在业内得到公认，应是与本帮菜中的经典菜式虾子大乌参有关。

虾子大乌参

虾子大乌参是本帮菜中的头等名贵菜肴。大乌参就是黑色的体积特别大的海参，上好的海参要有刺，又叫刺参。鲁菜中的葱烧海参、淮扬菜中的红烧大乌都是极其有名的。有经验的人吃红烧大乌，不用筷

德兴馆

子，而使羹匙，像吃八宝饭一样地一匙匙挑取，在羹匙接触大乌时即可感受滑软细腻的感觉。本帮菜开始采用大乌参，相传是因为20世纪30年代时，十六铺许多经营海味的商行从非洲购买了一批大乌参，因为本地人食惯了河鲜，这批海味干货因无人喜欢而被挤压在仓库之中。于是义昌海参行老板愿意为德兴馆免费供应海参，德兴馆老厨师杨和生看到这是一个发展本帮菜肴的极好机会，便以低价购买，多次试烧，最后以水发海参下油锅炸后，再加笋片、葱段、肉汤、肉卤、干虾子等先烧后焖，再以淀粉勾芡出锅。此菜风味独特，盘中乌亮闪光，入口酥烂鲜糯，味醇汁浓，当年曾使众多的富商巨贾、骚人墨客、官场政要品尝后念念不忘。

而德兴馆的成功，不仅与本帮名厨杨和生有关，还与李林根——三林“铲刀帮”李华春的儿子密切相关。1926年，17岁的李林根从三林到了德兴馆的厨房“学生意”。1939年，30岁的李林根就当上了厨房里的“把作”（厨师长），在厨房里负责最为关键的“砧墩”工位，也就是老菜馆中比“头灶大师傅”还要重要的“大佬”。同年，他以技术入股的方式成了德兴馆的股东。

经过杨和生与李林根两位本帮菜高手的努力，德兴馆最早把本帮菜中广受市场欢迎的菜式进行了工艺流程的推敲和梳理，使本帮菜有了相对规范的操作手法，比如本帮名菜糟钵头。据《上海的名人逸闻》载，上海滩青帮头子杜月笙，就爱吃生炒圈子、糟钵头等本帮菜，即使在1949年4月杜月笙到香港后，仍不忘本帮菜，还邀请德兴馆名厨汤水福师徒赴港做菜。糟钵头原是浦东农家菜，是本帮菜“浓油赤酱”的最典型代表，有将近200年的历史了。200年前，糟钵头其实是一个冷菜。糟钵头里面是什么东西呢？全部是废弃的猪下水（顺风、猪肚、猪肝、猪肺等），红烧以后，和酒酿糟，然后放在钵头里面入味，所以叫“糟钵头”。后来这道菜引入市区餐馆时，各家本帮菜馆都有各自不同的做法。杨和生着手将其改良，用“老大同”的香糟调和花雕，吊出和顺清澈的糟卤。不仅如此，德兴馆的厨师还将猪下水料分别预处理好，并分好类，做成半成品，客人点的时候，把这些半成品按标准分量配好，下锅重烧，最后浇上事先吊好的糟卤，一道粗鄙的农家菜不仅被调理得风雅有韵味，而且省时省力风味又能得到保证。有了这种“市肆菜”管理流程，从此本帮菜就有了“规矩”。

荣顺馆：上海老饭店的前身

2015年12月9日，上海老饭店的“本帮菜肴传统烹饪技艺”正式获颁“国家级非物质文化遗产项目”，官方总结了本帮菜的十六字特色：四季分明、选料精细、讲究火候、粗细兼长。其代表性传承人李伯荣，先后在德兴馆和上海老饭店掌勺多年，上海餐饮界公认的“本帮菜泰斗”。作为李林根的儿子，李家较好的家庭条件可以让他安心地求学，但他自13岁时依旧在不上学的时候就去厨房打杂，并在18岁时正式师从德兴馆的杨和生大厨。由于深知德兴馆厨房管理的真谛，并有较高的学历，李伯荣在上海解放后的烹饪技工学校讲课，并在绿波廊、老饭店等本帮名店做经理，一辈子没有离开生产、教学第一线，并终成一代大师。

从“铲刀帮”李华春到“本帮菜”李伯荣，能把“下饭菜”最终做成“江南味道的最大公约数”，把“乡下风味”做成上海的一张独特的“文化名片”，是因为本帮菜馆的名厨们一直在不断地学习各家所长，不仅是在风味上，在烹饪的技术和准备食材的工序上也越来越挑剔。比如说扣三丝，这道红遍“舌尖”的精细菜肴，就是发源于浦东三林塘的农家菜。昔时，沪郊富裕人家摆喜酒，将其作为一道主菜，红、白色的细丝堆砌如小山，寓意“金山银山堆成山”，希望子女成家后财源广进。传统扣三丝是把三丝装碗里，用的是一般家用饭碗，“本帮菜泰斗”李伯荣将倒扣的容器从粗大的饭碗改为精细的茶盅。火腿、冬笋、熟鸡脯全部切丝，横劈 36 刀、竖切 72 刀，一共 2 592 根，切好的三丝塞入茶盅，不能断，不能扭曲，上笼蒸透，再往透明的玻璃盆里一扣脱模，一座色泽分明的三丝宝塔便矗立在盆子中央了。

三林本帮菜馆：本帮菜的返乡之旅

位于三林老街上的三林本帮馆，老板是李伯荣的儿子李明福，大厨是李伯荣的孙子李巍、李悦。八仙桌、长条板凳、竹筷、粗瓷蓝边碗，饭馆中此起彼伏的三林乡音。三林人李华春当年在乡间为乡亲们烧办酒水的时候，应该料想不到当初只有在喜宴上才能吃到的“老八样”，如今是进了李家饭馆就可享受的美食。“上海大厨出浦东，浦东大厨出三林”，一个世纪转瞬而过，一百年前三林的大厨将三林的乡下风味带到了上海老城厢，一批在上海老城厢发迹的名厨又将“本帮菜”带回了三林，时光的流转变幻都浓缩在那一口浓油赤酱之中。

超级链接

中国人的生存智慧贯穿在国人整个民俗饮食中。第一，是可食的东西多，用料极其广泛，杂食性强。凡是可食的动植物以及少量微生物都被人们所接受，成为口腹之物，这在世界上是颇少见的。第二，是选料操作上功夫独到。这主要表现在艺术化的烹调方式上。中国饮食的制作讲究多种选料搭配合用，调动人体多方面的感官刺激，如视觉、嗅觉、味觉以及第六感官“直觉”。数千年来，我们创造了爆、烧、炒、炸、煎、蒸、炖、扒、溜、汆、拌、煮、烩、温等众多的食肴烹调法，常习惯按不同原料，不同菜谱，运用相应的方法。第三，就是在艺术烹饪的基点上，根据不同的味觉习惯，选料方式，操作方法，色泽搭配，逐渐构成了区域性的食谱程式——菜系，以及由此而衍化的各种风味饮食、食用惯制。中国饮食如此广泛，被国外的学者作为论证中国能生存这么多人口的重要依据。

说一说

你觉得要保护传承好三林塘肉皮和三林本帮菜的制作技艺，有哪些因素不能忽视？

小田野

问问身边出生于不同年代的三林人，他们的婚宴上都备了哪些菜肴，记录下来，看看人们的饮食经历了怎样的变迁。

小试牛刀

去三林本帮馆向老板取取经，回家下一回厨房，动手做一道你自己爱吃的三林本帮菜吧！

趣味拓展

纪录片《浮生六味》（B站）

第七节　三林刺绣技艺

项目名称：三林刺绣技艺

项目类别：传统技艺

保护单位：上海市浦东新区三林镇文化服务中心

小热身

机器可以更快、更高产、更稳定地完成任务，费事费力费人工的技艺只能成为“从前的记忆”吗？

刺绣是用针线在织物上绣制各种图案，在中国至少已有二三千年历史，形成了四大刺绣门类——苏州苏绣、湖南湘绣、广东粤绣、四川蜀绣。苏绣，以精细、雅洁、平匀为特征，图案秀丽、线条明快、针法活泼、绣工精细；湘绣，作品色彩鲜明形态生动逼真，风格豪放，曾有“绣花花生香，绣鸟能听声，绣虎能奔跑，绣人能传神”的美誉；蜀绣，以日用品居多，取材多是花鸟虫鱼、民间吉语和传统纹饰等，颇具喜庆色彩；粤绣，施针简约，绣线较粗且松，构图繁密热闹，色彩富丽夺目。

三林绣花翻新样

三林刺绣的艺术风格更接近顾绣，以其线与布的虚实组合，营造出极富趣味的人文意境，是三林三绝之一，是用绣针引彩线，按设计的花纹在纺织料上刺绣运针，以绣迹构成花纹图案的一种工艺。它以线与布的虚实组合，营造出极富趣味的人文意境，并通过数十代人的传承而流传下来。“黄婆婆，给我布；顾姑娘，教我富。露香园里露也啊香，露香园里多少绣姑娘。绣出千花百草满园香，传出万里传扬好名声。三林塘崩瓜甜脆爽，种瓜难觅好瓜秧。三林塘绣花日日翻新样，拜师要拜顾姑娘。”这是三林地区曾经流传的一首民谣，短短歌谣却唱尽了三林刺绣大半的前世。

超级链接

顾绣，俗称“画绣”，是由明嘉靖三十八年松江府进士顾名世家族的女眷创造、发展和推广的一种绣艺，突出特点是把松江画派的风格融入刺绣技术，画绣结合，成为有别于日用工艺的纯欣赏艺术品，对后世江南，乃至中国刺绣的发展影响深远。

在三林塘，民间还流传着这样一个故事。相传在明朝正德年间，官居江西布政使参议的三林乡贤储昱，世居三林镇，筑有南园，为当地之望族。

储昱有一同事名为潘恩，潘恩是上海豫园的主人，与储昱很聊得来。两人聊着发现储昱家的小女还未嫁，潘恩家的公子允亮也未娶，便一拍即合，择年底春节时分举行大礼，消息传出，乡人都纷纷前来祝贺。

某日，储昱同窗来访，知其喜讯，颇为感叹，他说：身为朝廷命官，婚礼理应豪华，但新娘嫁衣仍为民间红袄长裙，那可太寒酸了。不如招人探探后宫，取其样为女嫁衣，储昱听罢，摇头不已。明朝律法严明，官宦百姓等级森严，不敢越雷池一步，否则恐遭杀身之祸。但女儿知晓后，却觉得以为山高皇帝远，穿一次也无妨。储昱爱女，只得硬着头皮与镇上裕丰绣庄商议，按其所绘后宫嫔妃宫装之式样，由当地绣娘日夜赶绣，百鸟朝凤绣满全身，其他花鸟无不栩栩如生。

婚嫁之日，三里长街挤满了四乡的乡民，欲一睹婚礼之风采。但大喜过后，经小人谗言，消息传至京城，正德皇帝龙威大怒，欲派钦差大臣赴江南调查。潘、储二家在京的亲朋，得知此事，即派人游说于皇后娘娘。皇后娘娘心胸宽广，认为潘储两人为官勤勤恳恳，十分忠心，两家结亲是大喜之事，不罚反送厚礼加以祝贺。而储氏的嫁衣故事也因这样的波折传遍了大江南北，各地新娘均仿而效之，使三林民间刺绣的宫装慢慢地传了下来，直至清末民初，还流传于民间。

十里洋场白货作场

三林刺绣还受当时“西学东渐”之风影响，吸收了西方的明暗透视技法及“抽、拉、雕”工艺，逐渐形成自己的一套特色，变化出了 130 多种针法、70 多种工艺，形成了线细、行针密、针法多样、色彩丰富、精制细腻不留针线痕等特点，影响辐射至上海及江浙等地区。

1897 年，英国维多利亚女皇登基 60 年，上海租界的沙逊洋行为女皇定制了刺绣睡衣套作为贺礼，这件睡衣套的精致华丽使英国人叹为观止，女皇的睡衣成了时髦物件，引得西方贵族争相购买。三林刺绣真正的产业化道路始于清末民初，曾经历过两次鼎盛时期。

在 20 世纪二三十年代，大量的外籍人士涌入上海，中国人的崇洋心理加上外国人对刺绣用品的喜爱，使得“白货作场”风生水起，蔚为壮观。以三林刺绣闻名的杨林宝女士，与上海的洋行达成协议，交割刺绣业务，三林的刺绣在白货作场中崭露头角。白货作场在接到订单后，根据客户合同要求，按款式在真丝绸缎上用毛笔绘制刺绣图案，据说操作之人需要技艺极高，一不小心，则会前功尽弃。如果遇到黑色原料，则需要安置玻璃，下面点上油灯，用隐约之光来对其描绘图案。图案绘好之后，由发花代表分发到浦东乡村各地的绣娘手中，形成了“闺阁家家架绣棚，姑人人习针巧”的壮观场面。

三林刺绣

太平洋战争爆发，很多欧美人离开上海，白货市场凋零，又因为三林刺绣工艺要求高，且绣片多为真丝绸缎材料，颜色鲜艳，不能有闪失，故在此后的一段时间内，从业者甚少，刺绣行业在这段时间内也凋零了。

第二次是 20 世纪七八十年代，随着上海乡镇企业兴起，外商来华采购需求大，三林女子又开始人人拿起绣花针，家家架起绣花棚，村村也相继开办了绣花。80 年代，参与刺绣者达到了 2 万多人，三林刺绣合作社甚至在苏浙地区广授刺绣、发展业务。三林刺绣以其高超的技艺和放心的质量，赢得了海内外的一致好评。三林绣娘跨出国门，赴法国博览会做刺绣表演，为国家争得了荣誉。東埔寨西哈努克亲王的服饰，美国前总统里根的被套，英国女王伊丽莎白的真丝睡袍上都留下了三林刺绣的痕迹。

但随着时代的发展，传统的刺绣产业已被现代的机绣、电脑绣所替代；近十几年来，老一辈绣娘的萎缩与新生代兴趣发散的困惑，无疑都给三林刺绣的传承及其质量带来了不确定性。2005 年，三林镇成立上海三林绣庄艺术品有限公司，主要从事绣品、工艺美术品的生产、加工和销售。绣庄特组织力量，深入到街镇、乡村，走访民间刺绣老艺人，挖掘、收集、研究、整理了大量失传已久的针法与绣片等。另外，绣庄还在三林镇小学、中学开办了刺绣特色班，力求使三林的刺绣品牌传承下去。

带温度的技艺

人们常会说一件手工作品是带有“温度”的，工业化产品似乎只因是机械在流水线上的复刻，就变得“冷冰冰”。其实机械在大规模作业时反而会产生大量热量，比人工绣还要火热；此外，无论是手绣还是机绣的作品，放在手中表面的温度也无明显冷热的差异，那么手工作品的“温度”究竟从何而来?

当我们欣赏一幅画或一幅书法作品时，除了它们带来的整体感受外，我们还能通过运笔时的深浅急徐体会到作者创作时的心情。如《兰亭集序》，王羲之和友人集会兰亭时，他有感而发即兴创作了一篇传世名篇。文章时而平静时而激荡，一波三折，王羲之在行笔时，刚柔相济，线条变化灵活，字形与情感相得益彰，被后人评价为“天下第一行书”。当我们面对一幅作品时，不仅在与物件对话，同时也在与创作者对话，书画家以笔传情，绣娘们则以针传意。尽管绣品开始创作前必先有画稿所参考，不像书画作品极易受创作者当时心情的影响，但既然是人工所为，在成品上肯定不是整齐划一，同样的作品在不同绣娘手中便是不同的风格，这正是其魅力之所在。

会形成风格各异的原因之一，便是色彩的配比。而“绣”字的含义最早也与色彩搭配有关。《周礼・考工记》中有云：“青与赤谓之文，赤与白谓之章，白与黑谓之黼（fǔ），黑与青谓之黻（fú），五采备谓之绣。……四时五色之位以章谓之巧。”可见，刺绣之精妙很大程度上依靠着颜色搭配，搭配得好便可称

“巧”。在我国第一部详细介绍传统手工刺绣的理论专著《雪宧绣谱》中，对绣线的颜色作了系统的总结。作者沈寿以表格作统计，归纳了八十八种颜色，但她自己也感叹道说不出名称的颜色有太多了，只能简单做个分类：“业染者云：‘色随人而变，亦随天气燥湿、技手巧拙而变，往往有以昨日所得之色，试之今日而变，以今日所得之色，试之明日而又变者，变不可得而穷，色不易名而纪，夥颐哉。’如所言虽累千色可也。”

超级链接

沈寿，1874 年出生于江苏吴县，原名沈云芝，号雪宧，因秀斋名为“天香阁”，别号天香阁主人。沈寿自幼学习刺绣，光绪三十年慈禧太后七十寿辰，与丈夫余觉参与贺寿贡品《八仙上寿图》和《无量寿佛图》赶制，慈禧大喜，赐字“福”“寿”，沈云芝遂改名为“徐寿”。时北洋政府实业部长张謇注意到中国工艺史上尚缺刺绣专书，在沈寿生命的最后时期，在其病情稳定时，反复扣问针法并加以记录。终于在沈寿临终前完成“无一字不自謇出，实无一语不自寿出”的《雪宧绣谱》。《雪宧绣谱》共有绣备、绣引、针法、绣要、绣品、绣德、绣节、绣通等八章。《针法》和《绣要》是其精华所在。

色彩也是创作者对我们所说的一种语言，它给予我们最直接的视觉刺激，但又不仅限于此。在漫长的岁月中，人们对色彩赋予了自己的一套解释法则，色彩不断拓展内涵。民间有不少颜色搭配的口诀，如“红红绿绿，图个吉利”“红兼黄，喜煞娘”“要喜气，红兼绿，要求扬，一片黄”等，文化观念使色彩搭配也带上了主观性，代代流传，形成了一套我们无法言说但又心领神会的审美标准。如红色历来被我们视为最喜庆的颜色，新婚寿诞、吉日节庆中都少不了它，而白色是这些场合中需要避讳的。但为什么现代婚礼中新娘穿着白色婚纱呢？这是因为受了西方文化的影响，在西方文化传统中，白色被认为是圣洁无瑕。一般新娘除了白色婚纱外，还会再选择一套中式礼服，新郎和新娘都是喜庆的红色了。刺绣，用不同颜色搭配绣到了大家的心坎上，满足了民众的审美期待，激发了民众的审美认同，这也是它的温度来源。

近年来，“国潮”一词成为现象级的话题。国潮的其中一面，就是以品牌为载体，用时下最潮流的方式来重新解释传统文化，并进行再创造。可以说，它既是对千篇一律工业化的一次“叛逆”，又是对本民族文化认同的一次回归。三林刺绣凭借着得天独厚的优势，也能带着从前的记忆，成为属于未来的技艺。

说一说

产业化追求经济效益，但手工技术费时费力，你觉得它们是互相矛盾的吗？为什么？

小田野

三林刺绣作品色彩丰富，你觉得一幅作品中会蕴含着多种颜色？它们为什么这样搭配？试着问问三林刺绣传承人和美术老师，试着探索一下作品中的色彩奥秘。

趣味拓展

（清）沈寿口述，（清）张謇整理：《雪宧绣谱图说》，王逸君译注，山东画报出版社2004年版。

第八节 三林崩瓜栽培技艺

项目名称：三林崩瓜栽培技艺

项目类别：传统技艺

保护单位：上海三林现代农业发展有限公司

小热身

产量低、繁育难的农作物品种，也有存在的价值吗?

小小崩瓜故事多

“三林崩瓜”“亭林雪瓜”“七宝黄金瓜”“罗店海冬青”，是过去百余年间在上海广受喜爱的“四大名瓜”，它们是老一辈上海人对于吃瓜季最“甜蜜”的回忆。20世纪80年代以来，由于种种原因，这些老牌本地名瓜纷纷淡出了人们的视野。而近几年，除了罗店海东青，其他三种瓜又渐渐重新回归到了上海民众的果盘中。这一番隐退又复出的过程，颇耐人寻味。“四大名瓜”中，身世最为曲折的，就属一度“流落海外”的三林塘崩瓜了。

崩瓜其实是西瓜的一种，但形状和颜色都不同于常见的西瓜。这种瓜呈长椭圆形，绿皮黄瓤，籽棕红色。一只崩瓜重1—2千克左右，个头不大，浅绿色的表皮上蔓延着淡淡的网络状花纹。这种样貌特别的西瓜，皮薄汁多，甜度极高，吃过的人都赞不绝口。

三林塘崩瓜

由于这种瓜饱满多汁，瓜皮又薄，因而极其脆弱。据说雨天的一声响雷就能把地里的瓜震得崩裂开来，所以就得了“崩瓜”这么个极富戏剧性的名字。如今去买崩瓜，卖瓜人总爱讲“雷震瓜”

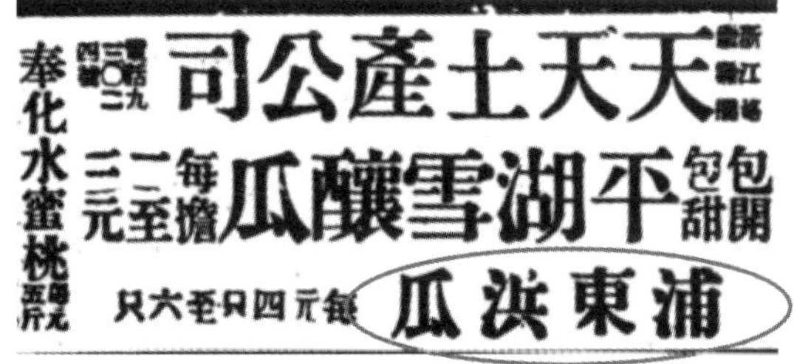

《时报》1934 年 7 月 30 日

鮮菓

三林塘浜瓜上市

黃金瓜亦已登場

際茲夏令，鮮菓應時佳品逐見衆多，枇杷楊梅落令，李子花紅等相繼應市，金塘李子亦因到湧價落，今以存貨漸少，每百斤回至二十元，花紅亦由四十五元昂至五十元，新有烟青製來白桃售價九十元至八十五元，及小海棠菓每担五十元，售價一致向榮，更有暑天及時品瓜類，首由浦東黃金瓜及海冬青上市，價卅五元至二十八元，三林塘浜瓜亦已登場，價爲七十元至五十元不等，又聞東洋西瓜業已見市，[illegible]產品不久亦將應市云。

《中国商报》1941 年 7 月 6 日

《新闻报》1942 年 7 月 30 日

的典故，有时还会用指甲或刀尖在瓜皮上划一道小口，让瓜当着顾客的面“嘭”地裂开。买瓜人听了故事，看了“表演”，回家吃瓜时，就会在甜嫩爽脆之外，又品出几分其他瓜没有的滋味来。

早年间，崩瓜叫作“马铃瓜”“浜瓜”。“马铃瓜”之名取其形似，至于被称作“浜瓜”，有人说是因为这种瓜从前都是用河浜中往来的船只装运售卖。上海地处江南，河网密布，陆路交通不发达的年代，船是最常见、最便捷的交通工具。人们在靠河的田里种了瓜，就直接搬到泊在近处的船上，顺河浜驶向各个村庄市镇出售。久而久之，这种从河浜运里来的本地西瓜就被人叫作了“浜瓜”。翻开民国时期的上海本地报刊，每到七八月浜瓜上市的时节，日日可见醒目的广告，其中，总有“三林塘”“浦东”之类的字眼。可见，浜瓜在当时早已是三林塘的标签。

其实，崩瓜并非三林独有。据说，川沙北蔡的麦家圈种崩瓜种得更早，后来，有个麦家圈的姑娘嫁到三林，才把这种瓜带到了三林塘。有人说崩瓜的种源在浙江绍兴，也有人说它引自新疆。但在上海，只要提到崩瓜，人们总会脱口而出“三林塘”，这是有历史渊源的。清同治《上海县志》中就有“（西瓜）出栅桥梅源市闵行三林塘者为上”[①] 的记载，虽然不清楚这里所说的西瓜是否就是崩瓜，但三林塘一方水土自古善出好瓜，闻名远近，是毫无疑问的了。一枚

---

① 清同治《上海县志》(卷八)“物产”，“西瓜”。

好瓜的长成，需要天时地利人和。种子好，水土好，加上经验丰富的种瓜人的精心莳弄，才能长出闻名上海滩的美味。而这些要素，已在三林传承了百余年。

可是，如此独特的瓜种，却在过去数十年间几乎绝迹了，又是为什么呢？20世纪五六十年代，国家制定了“以粮为纲”的农业生产政策，水稻等粮食作物占据了绝大部分的田地，崩瓜的种植面积大幅度减少。有老瓜农找来瓜籽交给生产队种植，到头来却是入不敷出。一方面，崩瓜难种，不但对生长环境要求较高，要种在排灌条件好的田块。而且，在施肥、灌溉、摘瓜等方面也都有讲究。种瓜人稍有疏忽懈怠，就会影响瓜的产量和品质。另一方面，崩瓜皮薄瓜脆，一碰就裂，运输损耗较高。因此，崩瓜的售价向来远高于普通西瓜。可是，在当时的背景下，崩瓜的收购价和一般的西瓜相差无几，如此一来，种崩瓜就成了赔本买卖，谁还愿意为它辟出一块田呢？就这样，曾经风光无比的沪上名瓜再难寻觅。老农们空有一身种瓜的本事，却也无处施展。

20世纪70年代，人们想要复种崩瓜，可那时已经一籽难求。四处寻觅之后，终于发现，抗日战争时期，日本侵略者曾将这个瓜种掠夺回日本，并起名“嘉宝”。于是，上海农科院便从日本引回崩瓜原种“嘉宝”籽300粒，交给了当时的三林公社种子站，并安排老瓜农试种了0.7亩。虽说是原种，但毕竟经过了异域水土的繁衍，品性也发生了些许变化。复种结出的崩瓜，个头大于从前，瓜瓤组织细腻，优于一般西瓜。但瓜皮却变厚了，不但拍之不能破，甜度也不及过去。而且，崩瓜的种子在长期繁衍中不可避免地出现了退化，病虫害变多了，要种出瓜，还要保证瓜品的稳定，谈何容易。

生长中的三林塘崩瓜

2007年，浦东新区将“三林崩瓜”列入新区抢救性传统品牌项目。组织农技部门成立崩瓜课题联合攻关技术协作组，对崩瓜种子进行提升培育。三林镇政府在川沙新镇临空农业区创建了三林现代农业发展有限公司，作为上海三林崩瓜特色农业基地。2013年，“三林崩瓜栽培技艺”被列入第四批浦东新区非物质文化遗产名录。

历经多年的探索，保护单位在本地老瓜农传承百年的种植经验的基础上，逐渐总结发展出一整套崩瓜栽培技艺，包含大苗与小苗的不同培育方法，以及选择播种期、种子处理、浸种催芽、苗床地设置、营养钵育苗、播种、苗床管理、中耕除草、藤蔓管理、授粉与护瓜等十余个环节的内容，非常繁复，丝毫不亚于呵护一个娇嫩的婴儿。单看“藤蔓管理”中的“压藤”一项，就可见一斑：

藤长至1.5尺以上时用泥土把藤压住，叫压藤。以后每隔4–5节压一道，共压3–5道。但在结瓜部位附近的前后两节上不能压藤。

压藤有暗压与明压：暗压是开沟把一段藤埋入土里，适用于干旱地区和沙性土壤的瓜田；明压是用泥块压在藤上，或者将泥块压在套住瓜藤的麦草等束缚物上以起固定作用，适用于多雨地区及土壤较黏重、地下水位较高的瓜田。若瓜田铺草，可不必压藤。

压藤分轻压与重压，重压后瓜藤生长慢而粗壮，轻压后藤生长快但较细弱；一般在雌花近根端距3–5节处重压，可促进座瓜，在另一端距3–5节处轻压，有利于养分运输。

压藤应于晴天午后进行，阴雨天及晴天上午的藤蔓脆嫩易折伤。①

可见，“种瓜得瓜”绝非说起来那样简单。

如今，在保护单位坚持不懈的努力之下，每年五六月间，一大批品质稳定的三林塘崩瓜都会如约上市。崩瓜的美味，终于不再只是上海滩街头巷尾的传说。

物种保育意义大

“四大名瓜”中的七宝黄金瓜、亭林雪瓜、罗店海东青，都曾像三林崩瓜这样，面临过生存危机。除了这些甜瓜，近年来，还有许多本土原生农作物品种正在加速消失。随着城镇化进程的推进，城市中可供人们自由种植的土地越来越少，本土农作物品种的种植面积已经微乎其微。与此同时，那些更适合规模化种植的外来品种，不仅产量高、卖相好，还适宜长距离运输，轻轻松松就占领了市场，这使得本来就岌岌可危的本土农作物愈发失去了生存空间。我们平日里经

① 《“三林崩瓜栽培技艺”浦东新区非物质文化遗产名录项目申报书》，2013年。

常吃的大蒜、萝卜、茄子、菠菜、青菜、韭菜等蔬菜的本土品种，都在加速消失。那么，既然这些本土农作物产量低，种植成本高，为什么不索性优胜劣汰，反而要费如此大的心力对它们进行保护呢？

如果和你身边年纪稍长的人聊聊日常所食的蔬果，多半会听到这样的感叹："不如我们小时候的好吃！"什么是"小时候的味道"？就是原生品种在本土自然生态环境中接受阳光雨露的滋养，同时奋力与天灾虫害抗争，遵循自然规律悠悠然生长至瓜熟蒂落，然后立刻奔赴不远处的餐桌时的味道。这味道是植物的顽强生命力和乡人的农业生产智慧，历经大自然一岁又一岁的严苛考验酝酿而来，当然愈发地甘美醇厚。因此，保护这些本土物种，留住多元的味道，其实是在守护我们自己的美好生活。

此外，今天市场上琳琅满目的蔬菜，但凡是洋品种，大都只能种一茬，第二年再种，还得重新购买种子。供应种子的公司凭借着"断代技术"，不但可以坐享持续不断的市场需求，一本万利，而且往往还手握这些种子的定价权和供货权。这就意味着，我们的菜篮子被他人拎在了手中。从这个角度来看，对本土品种的保育，就有了更重大的意义。

同样值得注意的是，对高产品种的推广普及，的确有效地解决了温饱问题，也带来了极大的经济效益，但长远来看，这种单一化的种植倾向却包藏着巨大的隐患。大面积、单一化的农作物种植，往往伴随着病虫害的集中爆发，化肥、农药所导致的严重土地污染，以及对物种多样性的损害。长此以往，该地区的自然生态结构必将失衡，其农业发展也将不可避免地陷入深刻的危机之中。

物竞天择，适者生存。其实，在与周遭环境磨合了无数个春秋之后，能够留存下来的农作物品种，都是当地农人对野生品种或外来品种长期驯化的成果，是大浪淘沙后的优胜者。在人们愈发重视食品安全，全球大力发展有机农业的今天，这类本土品种有着天然的优势。它们或许其貌不扬，却比外来品种更适应当地水土，病虫害更少，蕴藏着未来农业发展的新机遇，是祖先留给我们的一份异常珍贵的遗产。

三林塘崩瓜，是三林人历经百余年农业生产实践培育得来的优良瓜种。对崩瓜栽培技艺的传承与保护，直接决定着这个浦东名特农产品的存亡。小小的崩瓜，是三林本土物种保育的希望之光，是上海人和夏天的甜蜜约定，是一代人曾经失落的文化情怀，同时，也是一种微小却深入五脏六腑的力量，将我们的生命与脚下这方土地深深融合。

超级链接

物种多样性（species diversity）是生物多样性的一个层次。包含物种丰富度和物种均匀度两个方面。物种多样性是衡量一个国家或地区生物资源的重要标准，丰富的物种多样性，为生物资源的开发利用提供了基础，是人类生存发展的重要依赖。[①]

说一说

1. 你还知道哪些传统农业生产知识与技艺？它们在当下有什么意义和价值？

2. 除了农作物，你认为本土物种保育还应当囊括哪些物种？为什么？

小田野

1. 到学校的崩瓜田里走一走，看一看，动动手，了解、体验崩瓜栽培技艺。

2. 组队当一回“本土农作物猎人”，分头走访身边的老人，调查他们记忆中的本土农作物品种，并以文字、图画等形式记录其特征，形成一份图文并茂的“本土农作物调查报告”。

3. 寻找本地原生农作物种子进行培育，邀请生物老师指导，比较其与常见品种的差异。

拓展探究

你听说过“鸭稻共生”和“桑基鱼塘”吗？它们都是充满智慧的传统农业生产模式，不妨与生物老师一同探究一下其中的科学奥妙吧。

---

① 参考张风春.生物多样性基础知识[M].北京：中国环境出版社,2015(09):4.以及何宣，高正文，许太琴.云南自然博物馆生物多样性[M].昆明：云南大学出版社,2015(07):46.

第九节 江南传统民居木作技艺

项目名称：江南传统民居木作技艺

项目类别：传统技艺

保护单位：上海南园文化传播有限公司

小热身

你去各地旅游的时候有没有注意观察过或了解过当地传统民居？你觉得那些民居有什么特色？你知道哪些代表性的中国传统民居形态？

何为木作

同学们应该都看到过盖楼造房、修桥铺路的，这些建筑行为通常都被叫作“土木工程”，大学里也有专门学习建筑的专业叫“土木工程”，可是在施工现场，我们却又几乎看不到土和木，这是为什么呢？这是因为先民长期以土和木为主要基础材料修筑建筑物，后来就将土木二字合用，指代建筑这一工程行为，沿用至今。

江南地区传统建筑施工过程中也是大量使用木材和泥土，由此产生了专门从事木材加工制作的“木匠”和从事泥土加工砌筑的“泥瓦匠”。木匠经营的行当又被叫作“木作”。根据木工工艺的不同，又把建造房屋木构架的叫作“大木作”，把建筑装修和制作木制家具的叫作“小木作”。前者工人称“大木匠”，后者工人称“小木匠”（或细木匠）。

春秋战国时期，出自《周礼》的《考工记》是一本专门记述当时齐国官营手工业各工种规范和制造工艺的书，书里有一句“攻木之工七”，意思是从事木制行业的工匠就有七种，可见在周代木工已分工很细，后世各代分工又有不同。在被梁思成先生誉为中国建筑“文法课本”的《营造法式》（宋）和《工程做法则例》（清）中，可以清楚看出其中的调整和差异。但，无论如何调整，

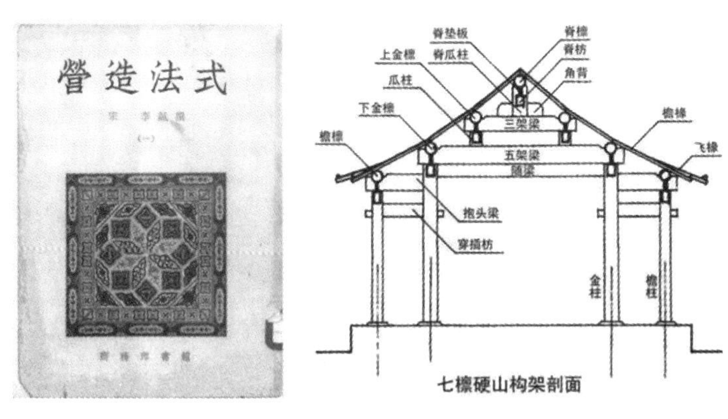

七檩硬山构架剖面

木构架房屋建筑的设计、施工一直被归为大木作，始终不变。

大木作，是指木构架建筑的承重部分，古代中国木构架建筑的主要结构部分，由柱、梁、枋、檩（如图）等组成，同时又是木建筑比例尺度和形体外观的重要决定因素。

小木作是中国古代传统建筑中非承重木构件的制作和安装专业。清工部《工程做法则例》称小木作为装修作，并把面向室外的称为外檐装修，如走廊的栏杆，屋檐下的挂落和对外的门窗等，在室内的称为内檐装修，如各种隔断、罩、天花、藻井等。

如果跟今天的建筑装修行业做个简单类比的话，大木作相当于盖好毛坯房，小木作相当于房子交付后的装修。

人与自然和谐共处的杰作——江南木作技艺

如果去北方农村的话，同学们会发现北方和江南地区的传统民居是很不一样的，最直观的一点是江南地区的民居多二层三层楼居，而北方地区的传统民居基本是一层平房，甚至有些地区是下沉式，也就是房子有一部分或者全部在地平面以下的。这跟南北方地区的先民最早在不同自然环境下对居住空间的选择和营造有关。

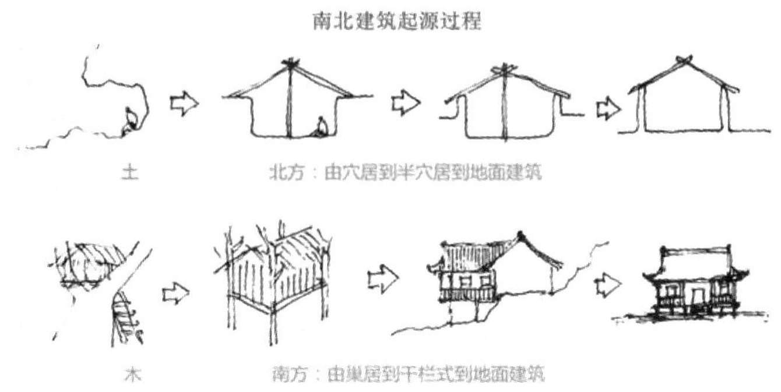

最早的人类，穴居野处，在掌握了器具制造使用技能之后，开始主动挖掘营造适合当地环境的居住空间。由此产生了两大原始居住形态，穴居和巢居。穴居后来逐渐发展成为北方的合院式民居，而巢居后来发展成为南方的干栏式建筑。原始穴居的居住形态到现在仍以窑洞民居的形式存在于西北乃至中原部分地区，巢居则在南方地区以吊脚楼、竹楼及江南水乡楼居等形式存在。这一演变过程可以简单归纳如下图所示：

从上图可以看出，“木”对于江南传统民居建筑来说，是根源性基础性的，以此为起点，发展出丰富多彩的江南木作文化。

复原的河姆渡干栏式建筑

干栏式是江南民居普遍采用的基础房型结构，后来随着建筑技术的发展提高，逐渐出现了抬梁式、穿斗式、井干式[①]等不同类型和级别的结构方式。干栏式建筑的主要特征是用木头架构整体框架，分为两层，下层放养动物和堆放杂物，上层住人，考古发现最早的干栏式建筑是浙江河姆渡干栏式建筑。（如图）这种建筑样式适合雨水多，地面湿热，多蛇虫的地区人居住，可以提高居住的舒适度和安全性。

江南传统民居木作技艺，在大木作方面是由柱、梁、檩、枋、斗拱等[②]大件木构件结构成房屋的主体框架，承受来自屋面、楼面的荷载以及风力、地震力等外来压力。江南地区民居架构方式中，抬梁式、穿斗式、井干式都可以见到，具体采用哪种方式，与房主的政治地位、经济实力和房屋用途有关。这种木作构件体系的关键技术是榫卯结构，即木质构件间的连接不需要其他材料制成的辅助连接构件，主要是依靠两个木质构件之间的插接。这种构件间的连接方式使木结构具有柔性的结构特征，抗震性强，并具有可以预制加工、现场装配、营造周期短等优势，可构成一座建筑物的骨干构架。榫卯结构的木作技艺是中国匠人在劳动中创造的生产智慧，对木材的特性扬长避短，被广泛使用在木结构建筑的营造中。

---

① 木结构建筑的构架样式、结构特征是建筑学的基础知识，请同学们根据推荐书目进行探索性学习。

② 建筑构件和细部名称是建筑知识学习中比较繁复难记的内容，请同学们根据推荐书目进行探索性学习。

大家在旅游时，听到导游讲解当地木结构建筑时常常以自豪的口吻说，这整栋房子整座塔不用一根钉子，还留存至今，那主要就是榫卯技术的功劳了。

“大木匠”把房屋整体框架建好之后，接下去就该“小木匠”施展才艺了。如果说大木作负责建筑质量，那么小木作就是负责建筑品位了。

江南地区民居在布局上遵从因形就势、因山就水的原则，与山水自然配合和谐。在外观上，因地理环境和就地取材等原因，逐渐形成了淡雅灰白的美学风格，所以，提及江南民居时，最常出现的词就是“小桥流水”“粉墙黛瓦”。既然外观上如此低调，那么又要在房子上显示房屋主人的品位追求、审美情趣乃至人生理想，那就要在装修上下足功夫了。

在装修上与小木作有关的就是木雕了。木作中的柱、梁、枋、板、檩、望板、斗拱和门窗等构件，都会在主人的指挥下，在匠人的匠心巧手中被施以艺术性的雕琢。朴素敦重的外观是江南民居的共性，木作雕刻就成了每家每户的个性体现了。小户人家一般在房屋的门面位置进行雕琢装饰，而大户人家则是穷尽绮丽，处处木雕了，安徽黟县宏村的“承志堂”可以说是江南木雕的上乘代表，甚至被称为“民间故宫”。这些附加的装饰性的雕刻甚至是江南民居最具艺术价值的所在。江南民居中的木雕精细夺目、移步含景、富含韵味、层次丰富、构图饱满，形成了繁而不乱的江南特色的木作技艺。

江南民居的木雕在题材上，多以戏曲人物故事、祥禽、瑞兽、佛道神仙以及发财如意、四季花木等为主。常选用的内容有鱼、石榴、寿桃、莲花、佛手、蝙蝠、喜鹊、公鸡、狮虎、梅花、松柏、鹿、摇钱树、聚宝盆、太极图、八宝、盘长、万字符、寿字符、福、禄、寿、禧等。在技法上更是浮雕、圆雕、镂空雕、阴阳雕等手法综合运用其中，具有非常高的艺术价值和文化价值。

守望相助围合而居——绞圈房

明朝万历年间，为抵御海盗、倭寇、湖匪之乱，当地乡民开始将传统民居一埭[①]头，一正两厢的房子改建成四面相围的绞圈房，围合而居，抱团取暖。绞

---

① 埭，在江南部分地区，民居院落被称为“天井”或“庭心”，“庭心”前后的厅堂或排屋被称为埭，如住宅只有一排单体建筑称为“单埭”，有数排建筑的则为“二埭”“三埭”多至“十埭”。

绞圈房标准形制

绞圈房

圈房是一种围合式传统住宅，它四周都有建筑围合，中间有“庭心”，南北两埭和东西厢房的屋面相互搭接，形成一个整体。“绞圈”在吴地原是一个木工术语，指木匠采用45°倒角拼接的方法将成矩形的四边接成一圈。由这个术语出发，可以很形象地理解“绞圈房子”的形态——一座屋顶呈45°“绞圈”的矩形合院，“一绞圈”房的标准形制是“五开间四厢房”（如图）。所以，从围合防御的功能来说，绞圈房与广东碉楼、福建土楼等一样，都是防御性建筑，又具有鲜明的江南民居的特色，但长期以来，并未被给予足够的重视。

基于围合聚居共御外扰的需求，具有江南特色的绞圈房大量诞生，这是本地木作匠人的一个辉煌时期，大凡殷实之家都会聘请木作匠人来建造绞圈房，并于绞圈房内大量雕刻以示品位，其表现在房屋的前后看枋，厅柱上枋，门窗上下进行戏文图案雕刻，内容以“三国演义”“西厢记”“十五贯”等居多，涌现出大量有史可考的木作匠人及其作品。清道咸年间，在浦东三林塘(现中林村薛家宅)，有木作雕刻匠人陆德山(清《同治上海县志》有传)，其名遍及上海浦东及江浙两省，陆德山祖孙雕刻的木作构件，至今仍为乡人津津乐道。受其影响，浦东木作匠人能拜在其门下为幸，影响延续至今，目前还有人称其为陆德山的再传弟子，以示门派。早期的江南民居木作匠人，其技艺全凭“腹稿”，用营造过程中所积累的丰富技术工艺经验，在材料的合理选用，结构方式的确定，模数尺寸的权衡与计算，构件的加工与制作，节点及细部处理和施工安装等方面都有独特与系统的方法或技艺，并有相关的禁忌和操作仪式，这种木作匠人操作技艺以师徒之间的“言传身教”的方式世代相传，延承至今。

江南木作技艺是先民在人与自然和谐共处中，对美好“人居”空间营造的探索结晶，是一项蕴含着丰富的生活智慧、匠心技艺、精神内涵、艺术审美等综合文化信息的非物质文化遗产，希望对木作技艺感兴趣的同学能积极参与到学习、实践和传承中来。

说一说

如果你去欧美国家旅行过，就会发现西方国家的传统建筑基本上都是以石头为基础性建筑材料，跟中国建筑的木作文化有很明显的区别，思考研究一下这一区别产生的原因是什么，说说你的发现。

小田野

看看在上海还有哪些地区有绞圈房，去实地考察一下，如果还有居民住在里面，跟他们聊一聊。再去看看石库门建筑，比较一下两种建筑有何异同，想想这些异同产生的原因是什么。

祖国幅员辽阔，民居形态丰富，有条件的情况下，建议同学们到处走走看看，友情提示：记得提前做好资料查阅等准备工作，否则容易看得一头雾水。

趣味拓展

楼庆西：《中国古建筑二十讲》，生活·读书·新知三联书店2001年版。

丁俊清：《江南民居》，上海交通大学出版社2008年版。

纪录片《木作》，池建新、张一泓导演。

纪录片《中国古代建筑》，中央电视台。

第十节 三林标布纺织技艺

项目名称：三林标布纺织技艺

项目类别：传统技艺

保护单位：上海市浦东新区三林镇文化服务中心

小热身

传统技艺除了技艺本身，还留下了怎样的非物质遗产？

“黄婆婆，黄婆婆，教我纱，教我布”

“七月三林络纬啼，布庄收布把梢题。太平打醮竿收锭，宝塔莲灯铛铛齐。”三林商贾月令竹枝词记载，七月的三林塘，家家户户忙于织布和卖布。从明代中期开始，三林塘因布市而繁荣昌盛，成为松江府纺织中心之一，每天上市的标布达上万匹。民间流传“收不尽的魏塘纱，买不尽的三林布”，可见其盛况。

三林布与乌泥泾手工棉纺织技艺同宗同源。乌泥泾即今日的上海市华泾镇，与三林地区隔江相望，以前同属上海县管辖。乌泥泾手工棉纺织技艺是中国纺织史上的一页华章，它甚至推进了上海成为全国经济中心的历史。乌泥泾手工棉纺织技艺与我国一位伟大的劳动妇女不可分割，她就是黄道婆，民间也亲切地称她为“黄婆婆”。

据传，黄道婆生于南宋末年的乌泥泾，年少时流落海南崖州。宋末元初，年迈的黄道婆从崖州回到故里，向当地百姓传授崖州先进的棉纺织技术。黄道婆对当时的纺织工具、纺织技术改革做出了杰出贡献，大大提高了棉纺织的生产效率。尤其在“捍（轧棉去籽）、弹（弹松棉花）、纺（纺纱）、织（织布）”等工序及工具上作了改良。其中，“三锭纺车”技术最为突出。

宋末元初，纺纱普遍使用手摇单锭纺车，一般农妇一人需要10小时才能纺得棉纱 4 两，三四个人一同纺线才能赶上一架织布机的需要[①]。黄道婆根据经验，制成了适合纺棉的三锭脚踏纺车，使纺纱效率提高了两三倍。受黄道婆的影响，三林地区也开始采用纺织效率更高的“三锭纺车”技术。自元代起，黄道婆推广了棉纺织技术，几百年来，吾镇乡人深受其泽。据清乾隆七年，本镇进士张端木《西林杂记》载：“西林户口无多，无山水之胜，物产之奇，惟植贝花[②]早，孟秋即枯吐，一邑之价，必由此定。”后人为纪念黄道婆的功绩，修墓树碑、建祠立像，你现在还能在上海中学内的“先棉楼”、上海植物园内的“黄母祠”、黄浦区的“花衣街”“先棉祠街”等名称中看到黄道婆的印迹。

“收不尽的魏塘纱，买不尽的三林布”

三林塘是松江府下最早植棉的古镇之一。三林人口稠密，贸易兴盛，为发展家庭棉纺织业，提供了充裕的劳动力。棉纺织业在当地日益推广，技艺高超而名播全国。《上海县志》有记载：“三林塘在二十四保，去县东南十八里。……所产棉布，独胜他处。”[③]传统布业兴盛时，纺织业曾是三林的支柱产业。四乡家家纺纱织布，当地俗谚有“一个布不到夜，一个锭子不消黑”，说的是一整个白天，可以织一段布，或纺半斤纱。民国年间的三林农户，除农忙种田外，农闲时节都纺纱织布。三林人日常生活全靠“卖布”，一年之中每人要织十多机（每机 16 匹）标布，合 200 多匹。其中，自用布只有二三匹，大部分投入了市场。

因此，三林塘的棉布贸易也随纺织业兴起而盛极一时。在这里聚集着很多牙行、商贾、布号、布贩从事着与布有关的买卖。牙行，亦称布行，主要在外地客商和布匹生产之间作媒介，从中赚取佣金；商贾，主要指外地客商，他们一般拥有雄厚的资金来收购土布，转贩外地，计值白银数十万两，少亦以万计，故出现了“牙行奉布商如王侯，而争布商如对垒”的场面。布号，专门经营青蓝布匹，先收进土布，后交付染坊加工，再卖给客商。清末，三林塘的三里长街布庄毗连，作坊工场遍布市梢。著名的布庄有汤义兴号、陆万丰号、亿大号等，

---

① 上海市纺织科学研究院《纺织史话》编写组.纺织史话 [M]. 上海：上海科学技术出版社，1978: 73.

② 贝花，即棉花，棉花古称吉贝。

③ （清）李文耀修，谈起行等纂.上海县志 (卷 1)镇市，第 6 页。

上海县城的名号如祥泰、启成玉、恒乾仁等也在镇上设座庄收购土布，更有商贾于三林及周边地区设立分庄，如祥泰在中心河、陈行、题桥，启成玉在三林塘，恒乾仁在杨思设有分庄。

鸦片战争后，舶来的洋布在市场上更受欢迎。以植棉织布为生的农民，生活日益艰窘。三林巨商汤学钊有感于此，决心重振土布业。他认为当时的洋布经过漂洗，细洁美观，规格适当，受到顾客青睐，这是土布无法匹敌的；但土布厚实耐穿，适宜劳动人民服用，如能扬长避短，尚可在市场上争一席之地。于是他制定土布规格，规定了经纬粗细，布匹的长短阔狭。又制订了详细的工艺，从怎样配色，怎样综线，到怎样挚花皆有标准。又积极改进纺织技艺，如利用经架和纬车等工具表面上浆，上浆工艺掌握得好，经纱就增加了强力，纱表面服帖光滑，经纱时不易断头或开裂，织成的布挺硬，身骨好，纱支匀细，布身紧密，结实耐穿。标准既定，立即告知乡民，合乎标准的称“标布”（又称套布），标布收取费用从优。

由于三林标布的质量上乘，各个环节都高要求严标准，织出的布光滑、细腻、洁白。当时的产品有机布、稀布、飞花布，斜纹、高丽布、斗纹布、雪清布等种类甚多，深受各地的欢迎，行销京、秦、晋、甘等地，交易颇大，动辄白银数十万元。三林塘标布渐渐成为名牌产品，上海祥泰布号便索性在牌子上印有“上海三林塘套布”字样来吸引消费者。

除标布外，三林布还有三大类：一种是稀布，有名的如龙华稀，布幅广而纱粗；一种叫扣布，布密但狭短，因此还被称为小布、短头布；最后一种是高丽布。其中，以标布质量为佳，纱支匀细、布身坚密、结实耐穿，而三林塘、周浦一带出产的标布又是最好的。标布染色或漂白后，可做成外套、马褂、靴面、缠脚带等。

随着工农业及现代纺织业的发展，机器生产逐渐代替手工生产，标布市场日益萎缩，这一延续了700年的古老织布工艺，最终淡出市场。以前各家各户全员参加纺布织布的壮观景象一去不返。据县志记载：“昔时风气未开，耕织得以温饱，今则纱布利薄。男之勤者贩卖，日以鱼虾、菜蔬等物，肩挑往沪，名‘贩鲜担’，此于生计不无小补也。”纺纱织布带来的收益日渐微薄，三林人只能在农闲时准备其他的工作补贴家用。有手脚勤快的男人，挑着自家种的新鲜蔬菜，到市区贩卖，生意好时也颇有收益。但从当时流传于民间的民谣，以及文人对它的咏诗，我们仍可从中想见昔日的辉煌。

传统技艺背后的生活宇宙

自手工棉纺织业商品生产发展后，上海地区许多市镇都以土布贸易为主。松江、枫泾、外冈、南翔、朱家角、蟠龙、庄行、大场、真如高桥、月浦等地商贾辏集，贸易花布。为何三林塘“所产棉布，独胜他处”？

这还得从布还是一朵棉花的时候说起。三林在地理上并无得天独厚的优势，其耕地土壤由长江冲积而成，土壤质地细小均匀，结构松散，土层深厚，绝大部分土壤适宜旱作，旱性作物棉花在此生根可以说是顺应天时。而当地民众则靠勤劳的双手，逐渐将三林发展为民物丰茂之地。

三林交通便捷，商贾鳞集，人才辈出，他镇莫及。这里棉布是生活必需品，具有极高的经济价值，质量过硬价格实惠，必然受到市场追捧，于是家家户户以纺织为业，“种棉花者居七八”，种稻的家庭只有两三成，相传最多时一年有 200 多万匹土布销往全国各地。

经济繁荣又在一定程度上促进了本地文化的发展。乡贤汤学钊、秦荣光、周希濂四处筹款，将镇上的建筑改造建成三林书院，为现代文化教育开辟了先河。三林人文底蕴深厚，历来吸引着不少文人雅士来此定居、归隐。本地民间一直流传着储家、赵家、张家、火家、汤家、陆家等著姓望族的轶事传闻，这些故事无论真假，其中所蕴含的崇学尚德风气一直延续至今。开明的风气，也让三林人更易于接受不同于本地的风俗传统，更易于接受传统社会关系的改变。

在这片土地上，女性的纺织工作能为一个家庭带来更多的收入，甚至承担起家庭的主要支出，经济地位上的独立自然抬升了女性们的家庭地位和社会地位。这也让黄道婆在诸多女性神祇中独树一帜。当说到女娲时，人们会想到她孕育了华夏民族；说到妈祖，人们认为她是集无私、善良、亲切、慈爱、英勇等传统美德融于一体的女性代表；而说到黄道婆，人们则会率先提起她对棉纺织技艺的革新——黄道婆因出众的技术而被纪念，而非因社会对女性的期待被尊崇，这与当地女性参与社会劳动的现实是吻合的。

三林特有的地理环境、人文思想、生产方式、心意信仰与标布纺织技艺形成了共生共荣的相互关系。除了手上乾坤，标布纺织技艺本身含有的历史文化信息全面立体地反映着人们历来的生活智慧、生存技巧，这是每一项非物质遗产的特有个性。

标布纺织技艺被高效的机械化取代是必然的，市场不需要手工纺织是社会发展的规律，我们无须过度感伤。但若仅仅将标布放入博物馆，仅仅将标布纺织作为表演，这比手工技艺被机械化生产取代更让人悲伤，因为这代表着我们遗忘了一个包罗万象的生活宇宙，而这个生活宇宙仍与我们现在的生活息息相关，只是适合它们生存的土壤变了。在现代社会中如何为非物质文化遗产提供新的生存环境，提高其在新环境的适应能力，重新恢复其自我生存能力，是我们最需要思考的。

说一说

1. 摸一摸标布，你觉得它和你衣服的布料有何不同？你愿意穿这种布料制成的衣服吗？为什么？

2. 标布纺织技艺现已被市场边缘化，你认为它现在还有经济价值吗？如有，该如何实现？如没有，它怎样发展才能拥有经济价值？

小田野

标布纹样众多，问问看你的家人或走访一些老布店，看看能找到多少种不同的纹样，它们分别叫什么名字，名字背后又有怎样的故事。不妨自制一本《标布图鉴》吧！

拓展探究

上海还有许多因“布”而兴的地区，请找一个你感兴趣的地方，查查它与三林地区棉纺织业发展的异同。

推荐阅读

徐新吾：《江南土布史》，上海社会科学院出版社，1992 年版。

第十一节　三林酱菜制作技艺

项目名称：三林酱菜制作技艺

项目类别：传统技艺

保护单位：上海三林酱菜有限公司

小热身

你知道什么方法，可以让蔬菜或肉类长期保存吗？

相传宋代，仁宗皇帝的太后厌食，茶饭不香，朝内相爷夫人闻讯后，就送上一小坛浦东三林民间酱腌酱瓜。不想太后一品尝后，胃口顿开，越吃越想吃，不住对着身旁丫鬟说："好吃，好吃！"

仁宗帝听了十分喜悦，当即下旨将浦东三林酱瓜封为"贡品"。由此，浦东三林酱瓜就出了名。到了明嘉靖时，时任南京御史的赵伦特将此佳品从家乡带往北京，同样博得后宫嫔妃的赞赏，并呈送皇上作御膳。直至清代光绪年间，三林酱菜又和崩瓜、标布一起被松江知府作为名品送往北京，深受清廷赏识。尤为慈禧太后见爱。由此，三林酱菜长盛不衰。

故事中作为"贡品"的三林酱瓜，因其神奇际遇，深受皇室喜爱，自此便长盛不衰。民间故事由来如此，万事万物，为了要彰显自己的名贵身份，自然要与皇亲国戚、英雄豪杰搭上一份关系。但万事万物，要想长盛不衰，必定是深深扎根于原生地，与生长在此地的人们息息相关，也就是说三林的老百姓才是生活中真正令三林酱瓜流传千年的主角。

泡饭加酱菜，是许多老三林人自家早餐的标配，那口平凡到极点的泡饭搭配上阿娘自己腌的酱瓜，是很多三林人幼时早餐的美好回忆。那时，没有肯德基、没有麦当劳，没有随手可点的外卖，也没有商店里随处可买的酱菜。那时候的酱是自己发酵而来的，黄瓜是农家地里耕作而得，巧手的农妇取一些酱再摘几条小巧玲珑的黄瓜洗净，放入半袋子的盐、适量的酱油、些许的姜蒜即可腌制而成。腌制好的酱瓜一定得放在午后的烈阳下曝晒，所以那时候每一户的农家庭院似乎都有一缸酱瓜，经历过那个时代的人，闻过挨家挨户的酱瓜那天然醇厚香味的人，记忆中就一直会有这种家乡的味道。而当他们离乡，这一碟小小的酱瓜便能安慰他们思乡的心与胃。

父亲原来在英国领事馆工作，离开后去了当时的上海公共租界工部局工作，就推荐了自己的学生（我叫他师兄）去英国领事馆。我这个师兄是大学生，抗战胜利后我父亲失业，师兄那时候已经当上了英国领事馆的领班，就把父亲找去，瞒了10年的岁数，说父亲50岁，于是父亲又在那里工作了。从1945年做到1949年，英国人跑了，大师兄去了香港，让父亲一起去，父亲拒绝了。

师兄从前家里穷，兄弟两个合穿一件长衫，一个人出门，另一个因为没有衣服穿就必须在家。他身体有残疾，读书非常刻苦，他把父亲看作重生父母，因为父亲是他先生，还给他介绍了工作，所以他非常感恩。师兄去香港后常给父亲来信，每月给父亲寄钱，关照上海的阿嫂，收到汇款的当天必须马上把钱给先生送去。师兄最喜欢吃我母亲做的酱瓜，他说师母做的酱瓜味道最好，有家乡的味道，他天天吃。所以我母亲每年都会给他做一坛酱瓜寄去。那时候要拿到邮政总局，先给邮局的工作人员看过，再密封，因为里面有糖水，不能洒出来。寄酱瓜的钱比买酱瓜的钱贵多了。

故事来自三林镇上的老人陈苏邻，一罐酱瓜，遥寄千里，但难以忘怀的故乡味道，的的确确是不能在异地复制的，它同过去的回忆纠缠在一起，弥足珍贵。那个时代的三林塘，除了酱园做酱，基本每家人家都会做酱，没有统一的配方，人们只是顺应时节的变化，用酱制蔬菜的方法来保存食物，以此来应对土地青黄不接之时的困境。三林塘酱菜能够在沪上闯出一分名堂，应是与三林人制酱的本事有关。

江南地区，每年六七月时，南方暖空气势力增强，向北延展到长江流域；

此时北方冷空气势力仍相当强，冷暖空气在江淮流域交界处形成一条静止锋，便开始出现连续阴雨的天气。持续一段时间后，随着南方暖空气进一步加强，最后暖空气逐渐控制了江淮流域，梅雨才至此结束。虽然梅雨给大家带来很多生活的不便，潮湿黏腻，低压沉闷，但万事万物都是利弊共存，此时特有的潮湿天气，却也能孕育独特的江南美味，霉菌的活跃生长酝酿出食物的另一面美味，这也算是梅雨季节的附赠慰藉吧。借着梅雨的潮湿闷热，三林人在此时有做酱的习惯，当地不少农家于黄梅小麦登场时节，以面粉为主要原料，辅以豆粉，制成糕状或饼状蒸熟，放凉，铺于稻草上，让其自然发酵发霉；随后辅以甘草，适量盐水从而成为农家自制酱瓜的酱料。此时将新鲜蔬菜脱水，浸入其中，经过几轮太阳暴晒，待蔬菜颜色变深，酱汁被吸入其中，便成了美味的酱菜。由于一直保持浦东民间酱腌传统方法，保证精确的制酱时间和充足的长期口晒，才使得三林的老酱味道醇真，独树一帜。

一般在麦熟的时候，拿（面）粉把麸皮和麦子做成一个个饼，蒸熟以后放在阴凉的地方让它发毛，再用盐水把它浸下去做成酱，放在太阳里晒。那个时候苍蝇很多的，要生蛆的。我们家有竹子做成的圆罩子，装上一个柄，罩在上面，太阳能照进去但苍蝇进不去，这是天然的方法。

把黄瓜、菜瓜中间的瓤挖掉以后，用盐腌一下，水出来以后，把瓜放在酱里。这个酱瓜在热天是主要的菜，早饭、晚饭都吃。萝卜干、咸菜、酱瓜这是当家的咸菜，那个年代没有像现在吃皮蛋、肉松这么奢侈。

除了用小麦做酱，也有把（蚕）豆一起放进去做豆瓣酱的。这个酱好吃，鲜。当然这个酱是没有坏过的酱，发酸了就不能吃了，什么瓜也不能腌了。所以要很注意的，有的时候看到这个酱有水了，就把它拿到锅子上煮一下，其实是在杀菌。凉了以后再放在太阳底下晒。不能淋雨，晚上露水不能进去太多。真到下雨的时候，用竹子做的酱篷盖盖好，有风的时候压两块砖，基本每家人家都是这样。有好多人家的酱到秋天以后就会坏掉，黄瓜也没有了，所以酱每年都做新的。也有人把酱放在甏里密封，不容易坏。

离三林不远的横沔老镇上，年近 80 的高琴宝谈起酱菜的制作也是滔滔不绝。中国的酱菜大致分起来，可分为北味与南味两种，北方酱菜偏咸，南方酱菜偏甜，萝卜、瓜、莴苣、藕、蒜苗、茄子等都是常见的酱菜。以前日子艰难，农家女子都会晒萝卜干、腐乳、酱瓜的手艺。清代《随园食单》中载有酱瓜的做法：“将瓜腌后，风干入酱，如酱姜之法。不难其甜，而难其脆。杭州施鲁箴家，制之最佳。据云：酱后晒干又酱，故皮薄而皱，上口脆。”为什么三林腌制的酱瓜能具有鲜、甜、脆、嫩四大特色，因为它是几代人潜心研究，不断实践创新的匠心之作。

金瑞军，1986 年生，浦东三林塘人，其外祖父张文奎为三林塘腌制酱瓜代表人物。作为三林酱菜的第三代传人，他将祖传的手艺继承了下来。每年黄梅季前后，金瑞军就开始忙碌起来，从制酱到端上餐桌的酱瓜，他要为之忙碌三四个月。酱好才会有好的酱菜，金瑞军制酱的手法看似与常人无异，但酱却因为黄豆和面粉比例的不同，以及加入的甘草量的变化等而呈现出独特的滋味，这便是从外祖父那里得到的“祖传秘方”的魅力。除了制酱之外，三林酱瓜风味独特还与所选瓜料有关。比如酱乳瓜，挑选一两左右的童子小黄瓜，又称乳瓜，肚小嫩绿，口感爽脆。清洗乳瓜时要确保不能破皮，洗净的乳瓜加入陶缸，加盐搅拌均匀，重压二三天后，倒出盐水，暴晒风干。将每一根乳瓜沾上浓浓的酱汁，每隔两三天翻动一下陶缸，以便乳瓜均匀地吸收酱汁。腌制时每条瓜坯上都要用针刺眼打孔，几经卤浸，日晒味道都渍入瓜内。

三林酱菜

以前镇上有万泰酱园专门生产酱瓜，当地农家也都在房前屋后的酱缸里腌制酱瓜，1956 年，三林乡政府创办了首家乡镇企业——三林酱菜厂。由万泰酱园进行技术支援，用传统的工艺精心制作极具上海口味的三林牌酱瓜，一经推出便得到了消费者的喜爱。党的十一届三中全会以后，三林酱瓜代表人物张文奎先生，自行开发了桂花黄瓜、面酱黄瓜、白糖黄瓜、桂花糖瓜片、白糖瓜条、面酱包瓜、白糖乳瓜、甜酱乳瓜、虾油露乳瓜等十多种酱瓜新品种，先后被市、县、局评为优质产品，三林酱瓜腌制技艺也由此获得了巨大的经济价值。

“记得早先少年时，大家诚诚恳恳，说一句，是一句。清晨上火车站，长街黑暗无行人，卖豆浆的小店冒着热气。从前的日色变得慢，车、马、邮件都慢，一生只够爱一人。从前的锁也好看，钥匙精美有样子，你锁了，人家就懂了。”木心的《从前慢》每个人读都有不同的感受，有人从中读到了爱情，有人从中读到了儿时回忆，从前慢，制酱慢，腌瓜慢，酱瓜慢，但正是慢才让回忆好多好多，味道好美好美。时至今日，三林酱菜传承人何新路在一则采访中道出了三林酱菜厂的难处，从前慢，一缸酱菜需要 6 个月的制作时间；现在快，每一口酱缸所立之地都有时间成本。当城镇化的进程加快之时，种植小乳瓜的菜园不见了，晒酱的空间缩小了，等待的时间都成了一分一分在跳动的经济成本。如何守护三林酱瓜腌制技艺，是时代摆在我们面前的一个课题。

超级链接

食品制作技术固然重要，但食品保存技术同样不可或缺。成吉思汗蒙古大军之所以能策马扬鞭一直打到地中海，靠的就是当年蒙古大军利用民间风干技术，成功解决了部队补给问题。我国地域辽阔，由于全国各地温度不同，湿度不同，饮食习惯不同，所以各地人民根据自己的生活习惯与生活环境总结出了一系列的食物保存技术与经验。如四川、湖南、湖北、安徽香肠的熏制技艺，苗族、侗族酸鱼酸肉的腌制技艺，蒙古族、鄂伦春族、鄂温克族兽肉的风干技艺，上海、江浙各种卤制品的卤汁技艺等食品保存技艺，都是我国食品储藏技术的典型代表。

说一说

“河东西，吃新粞；河南北，吃麦粥；河射角，做夜作。天河对弄堂，家家人家晒酱缸。天河对笆桩，家家人家吃虾汤。天河对大门，家家人家吃大菱。”这是《沪谚》中的一段话，你能解读吗？

小田野

采访三林当地的老人，向他们讨教制酱腌菜的技艺，听他们讲讲做酱菜、吃酱菜的故事。

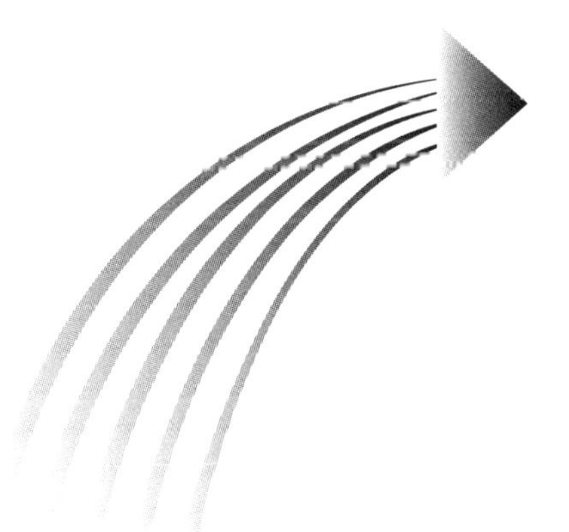

附　录

中国入选联合国教科文组织《人类非物质文化遗产代表作名录》《急需保护的非物质文化遗产名录》及《最佳实践项目名册》项目名单（截至2020年）

入选年份	中文名称	英文名称	项目类别
2001	昆曲	Kunqu opera	表演艺术
2003	古琴艺术	The Guqin and its music	表演艺术
2005	新疆维吾尔木卡姆艺术	The Uyghur Muqam of Xinjiang	表演艺术
2005	蒙古族长调民歌	Urtiin Duu, Mongolian traditional folk long song	表演艺术
2009	南音	Nanyin	表演艺术
2009	侗族大歌	Grand song of the Dong ethnic group	表演艺术
2009	粤剧	Yueju opera	表演艺术
2009	格萨（斯）尔	Gesar epic tradition	表演艺术
2009	藏戏	Tibetan opera	表演艺术
2009	西安鼓乐	Xi'an wind and percussion ensemble	表演艺术；社会实践、仪式和节庆活动
2009	中国朝鲜族农乐舞	Farmers' dance of China's Korean ethnic group	表演艺术；社会实践、仪式和节庆活动
2010	京剧	Peking Opera	表演艺术
2011	中国皮影戏	Chinese shadow puppetry	表演艺术
2010	麦西热甫*	Meshrep	表演艺术
2012	福建木偶戏后继人才培养计划#	Strategy for training coming generations of Fujian puppetry practitioners	表演艺术
2009	中国篆刻	The art of Chinese seal engraving	传统手工艺
2009	中国雕版印刷技艺	China engraved block printing technique	传统手工艺
2009	中国书法	Chinese calligraphy	传统手工艺；社会实践、仪式和节庆活动
2009	中国剪纸	Chinese paper-cut	传统手工艺；社会实践、仪式和节庆活动

续表

2009	中国传统木结构建筑营造技艺	Chinese traditional architectural craftsmanship for timber-framed structures	传统手工艺
2009	南京云锦织造技艺	The craftsmanship of Nanjing Yunjin brocade	传统手工艺；社会实践、仪式和节庆活动
2009	热贡艺术	Regong arts	传统手工艺
2009	中国传统桑蚕丝织技艺	Sericulture and silk craftsmanship of China	传统手工艺；社会实践、仪式和节庆活动
2009	龙泉青瓷传统烧制技艺	The traditional firing technology of Longquan celadon	传统手工艺
2009	宣纸传统制作技艺	The traditional handicrafts of making Xuan paper	传统手工艺；社会实践、仪式和节庆活动
2009	黎族传统纺染织绣技艺*	Traditional Li textile techniques: spinning, dyeing, weaving and embroidering	传统手工艺
2009	中国编梁木拱桥营造技艺*	Traditional design and practices for building Chinese wooden arch bridges	传统手工艺
2010	中国水密隔舱福船制造技艺*	The watertight-bulkhead technology of Chinese junks	传统手工艺
2010	中国－木版活字印刷术*	Wooden movable-type printing of China	传统手工艺
2009	端午节	The Dragon Boat festival	社会实践、仪式和节庆活动
2009	妈祖信俗	The Mazu belief and customs	社会实践、仪式和节庆活动
2009	羌年农历新年*	Qiang New Year festival	社会实践、仪式和节庆活动
2010	中医针灸	Acupuncture and moxibustion of traditional Chinese medicine	有关自然界和宇宙的知识与实践
2011	赫哲族伊玛堪说唱*	Hezhen Yimakan storytelling	口头传统和表现形式，包括作为非物质文化遗产媒介的语言
2009	玛纳斯	Manas	口头传统和表现形式，包括作为非物质文化遗产媒介的语言

续表

2009	蒙古族歌唱艺术：呼麦	Mongolian art of singing: Khoomei	口头传统和表现形式，包括作为非物质文化遗产媒介的语言；表演艺术
2009	花儿	Hua'er	口头传统和表现形式，包括作为非物质文化遗产媒介的语言；表演艺术
2013	中国珠算——运用算盘进行数学计算的知识与实践	Chinese Zhusuan, knowledge and practices of mathematical calculation through the abacus	有关自然界和宇宙的知识与实践
2016	二十四节气——中国人通过观察太阳周年运动而形成的时间知识体系及其实践	The Twenty-Four Solar Terms, knowledge in China of time and practices developed through observation of the sun's annual motion	有关自然界和宇宙的知识与实践
2018	藏医药浴法——中国藏族有关生命健康和疾病防治的知识与实践	Lum medicinal bathing of Sowa Rigpa, knowledge and practices concerning life, health and illness prevention and treatment among the Tibetan people in China	有关自然界和宇宙的知识与实践
2020 年	太极拳	Taijiquan	有关自然界和宇宙的知识和实践
2020 年	送王船——有关人与海洋可持续联系的仪式及相关实践	Seeing off God's Ship-ceremonies and practices concerning sustainable connection between human and ocean.	有关自然界和宇宙的知识和实践

＊入选联合国教科文组织《急需保护的非物质文化遗产名录》

＃入选联合国教科文组织《最佳实践项目名册》

非物质文化遗产课外拓展推荐场馆（上海）

序号	单位	地点
1	上海市群众艺术馆	徐汇区古宜路 125 号
2	上海工艺美术博物馆	徐汇区汾阳路 79 号（太原路口）
3	土山湾博物馆	徐汇区蒲汇塘路 55 号
4	黄道婆纪念馆	徐汇区徐梅路 700 号
5	林曦明现代剪纸艺术馆	徐汇区双峰路 420 号
6	上海笔墨博物馆	黄浦区福州路 429 号
7	嘉定竹刻博物馆	嘉定区南大街 321 号
8	上海宝山国际民间艺术博览馆	宝山区沪太路 4788 号（顾村公园边）
9	三山会馆	黄浦区中山南路 1551 号（近南车站路）
10	长宁民俗文化中心	长宁区北渔路 95 号（近天山西路，长宁民俗文化中心）
11	上海纺织博物馆	普陀区澳门路 150 号（近昌化路）
12	东华大学纺织服饰博物馆	中山西路 849 东华大学延安路校区内
13	金山农民画院	金山区朱泾镇健康路 300 号
14	崇明灶文化博物馆	崇明区向化镇向中路 91 号（向化镇镇政府对面）
15	松江非物质文化遗产传习基地	松江区中山西路 266 号
16	苏州河工业文明展示馆	普陀区光复西路 2690 号
17	上海老照相机制造博物馆	徐汇区安福路 300 号
18	上海元代水闸遗址博物馆	普陀区延长西路 619 号
19	上海崧泽遗址博物馆	青浦区沪青平公路 3993 号
20	松江博物馆	松江区中山东路 233 号
21	上海翰林匾额博物馆	青浦区朱家角镇东井街 122 号阿婆茶楼
22	上海邮政博物馆	虹口区天潼路 395 号 2 楼
23	中国武术博物馆	杨浦区长海路 399 号

本书部分图片取自中国非物质文化遗产网和联合国教科文组织网站，其他凡能确认摄制者或来源清晰的图片，均已作标注。图片若涉版权问题，请联系上海市三林中学。